JN027038

2023
年度版

｜別冊｜

★★★

有料老人ホーム三ツ星ガイド

関西

210選

2,572施設を調査した介護業界のプロが厳選

介護の三ツ星コンシェルジュ編集部

幻冬舎MC

読者の皆さまへ

　高齢者住宅・施設は多様化し玉石混淆(こんこう)の状況です。特に民間の有料老人ホーム、サービス付き高齢者向け住宅（以下、この2種類をまとめて「ホーム」と記載）は価格差が大きいうえ、運営する事業者の方針によって同じ価格帯のなかでもさまざまなサービスの違いが生じています。その違いを把握して自分に合った入居先を見つけるのは至難の業といえます。

　今回も前著『別冊「有料老人ホーム三ツ星ガイド2022年度版」大阪―兵庫102選』に続き、判断が難しいホーム選びにおいて、選ぶべき価値があるものを見つけやすくするために、一般社団法人日本シニア住宅相談員協会と共同で調査を行いました。すべての調査員は、高齢者施設の元経営者・元従業員ほか、高齢者施設のエキスパートばかりです。施設が公表しているオフィシャルな情報と、そういった情報からは判断できないサービス姿勢等を調査し、「読者の皆さまへ自信をもってお勧めできるか」という視点で、選ぶべき価値のあるホームに星を付与させていただきました。

　掲載エリアも前著より拡大し、京都、奈良、滋賀の一部のホームを新たに加え、単なる公開情報による形だけの調査ではなく、人が介在する血の通った調査結果となっています。ホーム選びをする方にとって、今までにない有益な情報源となり得るものですが、個々に事情が異なるためすべての方に当てはまるものではありません。

　本書では星を付与したホームの特長を余すことなく掲載しています。ぜひ良質なホーム選びの「道標」としてください。

株式会社ベイシス　介護の三ツ星コンシェルジュ編集部一同

別冊
「有料老人ホーム三ツ星ガイド2023年度版」
関西210選　のコミットメント

〜このガイドブックが、良質なホーム選びの道標となるために〜

　本書はホーム選びの有益な情報源となるものです。

　各ホームが多様性を継続し、良いサービスを提供するために、ともに歩んでいけたらと考えています。良質なホーム選びの道標となるために、このガイドブックは次のことを守りながら今後も調査を続けていきます。

〇 匿名調査

　ホームへの訪問調査は、一般社団法人日本シニア住宅相談員協会の資格をもつ優良な専門相談員が実施しています。彼らは顧客に随行してホーム見学を行いその知識によって担当エリアのホームの調査を行いますが、ホーム側には自分が調査員であることはいっさい名乗りません。

〇 独立性

　ホームの調査は、唯一読者の利益を目指して独自に行われ、介護の三ツ星コンシェルジュ編集部責任者と一般社団法人日本シニア住宅相談員協会責任者の決定の結果行われます。星を付与されたホームの本書への掲載は無料となっています。

〇 一貫性

　調査基準は、価格帯、立地、運営事業者（株式会社、社会福祉法人、医療法人等）にかかわらずすべてのホームで同じ基準を採用しています。

「有料老人ホーム三ツ星ガイド」の選定方法

　本書でご紹介する、星が付与された有料老人ホームは、どのような基準で選ばれたのかを説明します。

　我々「介護の三ツ星コンシェルジュ編集部」は「一般社団法人日本シニア住宅相談員協会」とタッグを組み、兵庫県（神戸市、阪神間）、大阪府（大阪市内、堺市内、北摂、北河内、中河内）、京都府（京都市、京都府南部）、奈良県（南部を除く）、滋賀県（大津市）内にある 2,572 カ所のホームを調査し、各項目で点数を付けました。

　今回の調査では、大きく分けて「ハード面の充実」「ソフト面の充実」「ホームを紹介するプロの相談員の評価」の3つの視点から、20 の調査項目を決め選定しています。それぞれの視点をある程度満たすホームであれば、読者の皆さまに勧められると考えています。

　詳細な調査項目については右図のとおりです。当編集部の調査が合計 60 点満点中、50 点以上で星が2つ、40 点以上で星1つ、協会側は投票制で各 3 点合計 15 点満点にし、編集部と協会の合算で星の数が決まっています。

※本書は有料老人ホームの調査であるため、各ホームの調査項目の点数の内訳や獲得合計点数の発表はランキングになってしまうと考え、掲載を控えさせていただきます。

介護の三ツ星コンシェルジュ編集部の調査【A】

	調査項目	調査方法
ハード面の充実	居室の平均的な広さ 機能訓練室の有無 グループケアの実施 浴室環境の充実 介護浴槽の設置	合計 60 点満点
ソフト面の充実	治療食の対応 人員配置の充実 職員定着率が高い 医療対応力（看護師配置数） 介護福祉士率 リハビリ専門職の配置 夜間職員の配置 看取り能力の高さ 情報開示力の高さ 経営面	・合計 50 点以上で 　★★ ・合計 40 点以上で 　★

相談員の評価【B】

調査項目	調査方法
職員の接遇態度の良さ（挨拶・笑顔・心配り等）	合計 15 点満点
施設長の受け入れに対する積極性（熱意・工夫・柔軟な対応等）	・合計 10 点以上で 　★★
認知症対応力が高い（姿勢・スキル・実績等）	
アクティビティ活動の充実（メニュー・頻度・個性等）	・合計 5 点以上で 　★
個別対応の姿勢（要望・好み・性格等への配慮）	

【A】と【B】の調査を合計し、★の数を決定！

★★★	【A】【B】ともに★★。 すべてのサービス面において、関西を代表するホームとして自信をもってお勧めできる。
★★	【A】【B】のどちらかが★★で片方が★。 すべてのサービス面において、立地するエリアを代表するホームとして自信をもってお勧めできる。
★	【A】【B】の両方が★。 そのホームが立地するエリアにおいて、他ホームのお手本としてお勧めできる。

本書の介護用語解説

★介護浴室

要介護状態になった方でも安全に入浴できるような器具を備えた浴室。移動式のリフトやチェアを備えた中間浴室、ストレッチャーや車椅子のまま利用できる機械浴室がある。

★直接処遇職員

要介護者のお世話（介護・医療）に従事している職員。介護士と看護師を指す。

★オンコール体制

ご入居者の健康状態が急変したときに、ホーム看護師が勤務時間外でも対応できるよう待機していること。

★ユニットケア（フロアケア）

ホームにおいて、他のご入居者とグループ単位で共同生活を送ること。職員とご入居者同士が顔なじみの関係になりご入居者に安心感が生まれるため、認知症高齢者の介護に適している。

★夜間職員配置

ホームは夜間の緊急搬送等に備え、複数の職員配置が必要。3人以上なら1人が救急車に同乗した場合でも、2人が残るので安心。さらに医療知識のある看護師がいると、医師へのスムーズな連絡に加え、医師の指示に基づく適切な医療措置ができる。

★ADL

Activities of Daily Living（日常生活活動作）の略。高齢者や障がい者の身体能力や日常生活レベルを測る指標。

★混合型有料老人ホーム

自立から要介護の方まで受け入れるホーム。本書では、主に自立の方を受け入れ、要介護状態になっても住み続けることができるホームを指す。

★ICT活用

情報通信技術を活用したホーム。代表的なものとして離床センサー等の見守り機器や職員同士の連携にインカム等を活用している。

★看取り能力

本書では年間6人以上の看取りを実施しているホームを「看取り能力あり」としている。「看取り能力が高い」とは、本人やご家族の希望により看取り時に延命行為が不要であると承諾を得た場合、病院に入院せず、住居であるホーム居室で最期まで過ごせる可能性が高いことを指す。

★離職率

一般的に、ホームでは年間離職率が20%より低ければ良好とされる（介護の三ツ星コンシェルジュ編集部調べ）。

★人員配置

要介護者1名に対し、何人の直接処遇職員を雇用しているかを示す目安。例えば2：1は要介護者2名に対し、常勤換算（そのホームの常勤職員の勤務時間：一般的に168時間／月程度）で直接処遇職員1人を現場に配置していることを指す。

★理学療法士、作業療法士、言語聴覚士

ホームのご入居者にリハビリを提供する国家資格保持者。理学療法士は主に運動系、作業療法士は主に手足を使った作業系、言語聴覚士は言語や聴覚、摂食・嚥下等のリハビリを行う。

★柔道整復師

業として柔道整復ができる国家資格保持者。ホームでは主にマッサージを担当。

★介護福祉士

看護師以外で介護を提供する職員のうち、唯一の国家資格保持者。ホームにいる介護士は無資格者、介護職員初任者研修修了者、介護福祉士実務者研修修了者、介護福祉士に分けられ、介護福祉士の資格取得は最も難しいとされる。

★介護福祉士率

介護福祉士率が高いホームは、介護に関するスキルが高い職員が多くいることを示す。

★管理栄養士

専門的な知識と技術をもって栄養管理や給食管理を行う国家資格保持者。ホームでは日々の食事の給食管理、栄養管理を行うほか、ご入居者の栄養指導をする。

目次

星別

【施設種別】

(有) …有料老人ホーム・介護内包型

(有) …有料老人ホーム・介護外包型

(サ) …サ高住・介護内包型

(サ) …サ高住・介護外包型

【その他】

(+) …24時間看護師配置

(♥) …低価格帯

(👤) …リハビリ専門職員配置

※**介護内包型**…介護サービス（日常生活上の援助等）と看護サービス（健康管理、医師の指示による医療行為等）を事業所の従業者が行う。介護保険サービスの特定施設入居者生活介護の認可を得ている施設。「介護付」と標記される。

※**介護外包型**…介護サービスと看護サービスは、ご入居者と個別に契約を結んだホーム運営会社と同一もしくは他事業者の在宅事業所等（訪問介護、訪問看護等）が行う。有料老人ホームの標記では「住宅型」とされる。

※**低価格帯**…入居一時金0円、月額利用料20万円未満

★ ★ ★

【施設種別】

(有)…有料老人ホーム・介護内包型

(有)…有料老人ホーム・介護外包型

(サ)…サ高住・介護内包型

(サ)…サ高住・介護外包型

【その他特徴】

(＋)…24時間看護師配置

(袋)…低価格帯

(人)…リハビリ専門職員配置

※**介護内包型**…介護サービス（日常生活上の援助等）と看護サービス（健康管理、医師の指示による医療行為等）を事業所の従業者が行う。介護保険サービスの特定施設入居者生活介護の認可を得ている施設。「介護付」と標記される。

※**介護外包型**…介護サービスと看護サービスは、ご入居者と個別に契約を結んだホーム運営会社と同一もしくは他事業者の在宅事業所等（訪問介護、訪問看護等）が行う。有料老人ホームの標記では「住宅型」とされる。

※**低価格帯**…入居一時金0円、月額利用料20万円未満

【兵庫県】

神戸市

	施設名	特徴		頁
(有)	フォレスト垂水（壱番館）	(＋)	(人)	78
(有)	ドマーニ神戸	(＋)	(人)	79
(有)	ディアージュ神戸	(＋)	(人)	80
(有)	グッドタイム リビング 神戸垂水			81
(有)	エクセレント神戸	(袋)	(人)	82
(有)	エレガーノ摩耶	(＋)	(人)	83
(有)	コンフォートヒルズ六甲	(＋)	(人)	84
(有)	グランフォレスト神戸六甲		(人)	85
(有)	トラストグレイス御影（介護棟）	(＋)	(人)	86
(有)	グランフォレスト神戸御影		(人)	87
(有)	グッドタイム リビング 御影			88
(有)	シニアスタイル神戸住吉	(＋)	(人)	89
(有)	エレガーノ甲南	(＋)	(人)	90

西宮市

	施設名	特徴		頁
(サ)	そんぽの家S 夙川香櫨園			91
(サ)	エレガーノ西宮	(＋)	(人)	92
(有)	シニアスタイル西宮北口	(＋)	(人)	93

五十音順

【施設種別】

㊒ …有料老人ホーム・介護内包型

㊒ …有料老人ホーム・介護外包型

㊛ …サ高住・介護内包型

㊛ …サ高住・介護外包型

【その他】

⊞ …24時間看護師配置

♡ …低価格帯

🧍 …リハビリ専門職員配置

※**介護内包型**…介護サービス（日常生活上の援助等）と看護サービス（健康管理、医師の指示による医療行為等）を事業所の従業者が行う。介護保険サービスの特定施設入居者生活介護の認可を得ている施設。「介護付」と標記される。

※**介護外包型**…介護サービスと看護サービスは、ご入居者と個別に契約を結んだホーム運営会社と同一もしくは他事業者の在宅事業所等（訪問介護、訪問看護等）が行う。有料老人ホームの標記では「住宅型」とされる。

※**低価格帯**…入居一時金0円、月額利用料20万円未満

あ行

㊒	アーバニティ若水	⊞	🧍	120
㊒	アクティバ琵琶	⊞	🧍	222
㊒	アクティブライフ豊中	⊞		152
㊒	アシステッドリビングホーム豊泉家桃山台	⊞	🧍	155
㊛	アプリシェイト門真		♡	122
㊒	癒しの高槻館		🧍	130
㊒	ウエルハウス千里中央		♡🧍	156
㊒	エイジフリー・ライフ大和田	⊞	🧍	125
㊒	エイジフリー・ライフ香里園	⊞	🧍	117
㊒	エイジフリー・ライフ星が丘	⊞	🧍	105
㊒	エクセレント神戸		♡🧍	82
㊒	エクセレント花屋敷ガーデンヒルズ		🧍	96
㊒	エスティームライフ学園前	⊞	🧍	219
㊒	エレガーノ甲南	⊞	🧍	90
㊛	エレガーノ西宮	⊞	🧍	92
㊒	エレガーノ摩耶	⊞	🧍	83

か行

㊒	介護付有料老人ホームさつき		♡	127

超希少！
2,572 施設から選んだ

プレミアムな
三ツ星 22 ホーム

「当たり前のことを当たり前にやる」
介護事業者としての基本が3年連続☆☆☆に

兵庫県エリア

フォレスト垂水（壱番館）（→ p.78）

施設長から一般職員まで
丁寧な対応が浸透

　3年連続☆☆☆獲得の秘訣を
ホームに尋ねると、①人員配置
がご入居者1人あたり1.5人と
手厚いため細やかな見守りやケ
アを提供でき、離れて暮らすご
家族に安心感を提供できる、②
24時間看護師が常駐し、持病の
ある方でも安心して入居が可能な
うえ、看取り介護にも積極的に取

り組んでおり、最期を迎える時ま
で入居が可能、③「抱え上げな
い介護」の採用や福利厚生にも
力を入れているため、離職率が
低く介護サービスの質が循環的
に向上していく、④理学療法士
による体操リハビリの充実により、
身体機能の維持・向上、生活動
作の改善等が見られる、⑤認知
症介護のスペシャリスト（認知症
介護指導者）を配置、認知症の

ご入居者の「望む生活」をサポート、といった充実したサービス内容が評価されているからではないかとの返答。介護事業者として当たり前のことを当たり前に実施していることが高評価につながっていることが分かりました。

「当たり前のことを当たり前にやる」、これを各サービスに提供できている事業者は多くありません。毎年きっちりサービス提供を行う、この姿勢を施設長から一般職員まで共有していることが同ホームの強みではないでしょうか。

新型コロナ5類移行により アクティビティ活動も復活

昨年の紹介で「コロナ対策を徹底」と掲載しましたが、新型コロナの5類移行に伴い、感染症対策は万全のまま、6月からはコロナ感染症対策を一部緩和し、ご家族との面会や外出がしやすくなったそう。また、中止していたロビーコンサートやレクリエーション等も順次再開し、ホームに賑わいや活気が戻ってきました。同ホームは同一敷地内に自立・軽介護の方対象の「弐番館」があり（要介護度により介護専用の「壱番館」に住み替え可）、ご入居者への体操やヨガ教室も積極的に実施していることから、アクティビティの復活は壱番館のご入居者だけでなく、弐番館のご入居者にも嬉しいことではないでしょうか。館内に診療所併設、食事も高評価のフォレスト垂水壱番館、弐番館。JR垂水駅から徒歩6分、近くに商業施設が多数ある中で、閑静な住宅地に建ち、落ち着いた日常生活と行動しやすい環境の両立が可能です。

※ 2023 年 9 月 30 日までの情報による

他社に先行して自立入居者の健康寿命増進に注力

ドマーニ神戸 （→ p.79）

ご入居者の希望に応えるため常に進化

　3年連続☆☆☆に輝いた高級老人ホーム、ドマーニ神戸。関西の老舗として業界をリードする取り組みを常に行っています。自立者向けの一般居室と介護居室からなり、一般居室は住友林業ならではの木の温もり溢れるデザイン、充実したフロントサービス、介護居室では手厚い人員体制、24時間看護師常駐、専門職を配置したリハビリ、同一建物内クリニック設置と、予防から看取りまで安心のサポート体制を整えています。

"介護予防"に取り組みご入居者の暮らしを応援

　同ホームは1995（平成7）年の開設から30年近く経過し、課題でもある自立居室入居者の

健康寿命増進に取り組んでいます。力を入れているのが"介護予防"。特にリハビリによるフレイル予防に力を入れています。これまでも介護予防機器を設置したリハビリルームで専門職の作業療法士等から個別トレーニングを受けることができましたが、さらに「Walk Training robo」を導入。自立・要支援のご入居者が自主的に歩行訓練に取り組めるようになりました。歩行訓練は日常的に取り組む必要がありますがなかなか習慣化できないもの。同ロボを使うと専用のカードを使用し記録を基に理学療法士がご入居者へフィードバックすることによって積極的に利用してくれています。

　また、感染予防の観点からも人との接触は少なくて済み、安心して取り組めると上々の評判です。また理学療法士による朝のゆるやか体操、日中のバランスボール運動、脳わくわく教室など、月間プログラム導入の取り組みも評判が良く、ご入居者は自分らしい暮らしを長く継続できます。

**一般居室で自分らしく
長く暮らせるようさまざまな工夫が**

　できるだけ長く、その人らしく生活してもらうために掃除や洗濯、買い物代行、入浴介助・排泄介助・移動介助等の介護保険サービスを一般居室にいながら受けることもできます。また、館内にご入居者用のデイルームも用意。手厚い介護サービスと医療支援を受けながら住み続けられる安心感があります。

※ 2023 年 9 月 30 日までの情報による

介護力・看護力の高さは抜群
JR西日本グループの安心感

兵庫県エリア

ディアージュ神戸 (➡ p.80)

神戸を代表する高級ホーム

　2年連続で☆☆☆に選出された介護付有料老人ホーム、ディアージュ神戸。特徴は①都会でありながら自然環境抜群、②全戸南向きで大阪湾・明石海峡が一望、③天然温泉大浴場（加温・循環ろ過）、④耐震性に優れた強固な建物、⑤防音性の高い居室、⑥高級感のある建物、⑦18 種類とバリエーションが多い居室、⑧甲子園球場並みの広大な敷地に充実した共用施設を完備、⑨庭園・屋上庭園が6カ所あり、年中さまざまな花が開花するなど、枚挙にいとまがありません。

　しかし編集部が最も注目しているのは、その介護力・看護力の高さです。館内に診療所を併設、24 時間看護師常駐、専門のリハビリスタッフによる個別リ

ハビリの提供、手厚い介護士の配置による介護力・看護力はエリア No.1 と言っても過言ではありません。

スキルの高い職員が多数

　同ホームは JR 西日本グループなので職員を大切にする気風があります。離職率も低く、5 年以上の経験を積んだ職員が多数在籍しています。特に看護師のスキルは高く、他ホームでは対応できない困難事例でも対応可能です。また "ノーリフトケア" を採用。持ち上げない・抱えないケアは職員にも好評で、ご入居者にも安心感を与えています。介護士の OJT にも力を入れており、接遇力が高く何事にも気持ちの良い対応です。

　今年度から ICT 化にも力を入

れ、新たな見守りシステムも導入予定。この高いケア力は、住宅棟運営にも活かされています。住宅棟内にデイルームやリハビリルームを設け、中度の要介護状態までは住宅棟での暮らしが継続できるのも嬉しいシステムです。

　昨年から介護予防チームを設け、フレイル予防、認知症予防にも力を入れています。もちろんサークル活動など自立者向けのプログラムも多数。館内にはご入居者の作品が数多く展示されています。「自立時から入居し、医療依存度が高くなっても看取りまで住み続けたい」そんな希望を持たれている方にぴったりのホームです。

※ 2023 年 9 月 30 日までの情報による

ご入居者が活発に過ごせるように
サークル活動やイベントが充実

兵庫県エリア

エレガーノ摩耶 （→ p.83）

コロナで中断していた
地域との交流が再開

　介護付有料老人ホーム、エレガーノ摩耶は、自立入居から看取りまで可能な有料老人ホームです。昨年に続き☆☆☆を獲得していますが、代表的な特徴が地域との交流。街づくりの計画から関わっていたこともあり、近隣の分譲マンションとの共有の施設であるクラブハウスは、喫茶スペース、多目的ホール、アトリエ、パーティールーム、AVルーム等が設けられており、さまざまなサークル活動やイベントを実施できます。

　コロナ禍で一時休止していましたが、感染症対策には十分に気を付けながらイベント等を再開しています。

　新たに催しているイベントとして「神戸大丸へのお買い物ツアー」

「阪急百貨店の移動販売」のほか、コンサートや健康セミナー等も活発に開催しています。

介護を身近に感じる
取り組みを実施

　同ホームは自立入居者が一般居室に多く居住しています。介護士や看護師が24時間常駐し、介護支援や医療支援は常に時代に即した対応をしています。

　お元気な方々は「介護保険って今は必要ないけれど、必要になったらどうなるの？」という疑問をお持ちです。そこで生活相談員（ソーシャルワーカー）による「暮らしの窓口」を新設。介護保険に関する相談会を実施しています。生活相談員や介護士を身近に感じることで「些細なことでも相談しやすくなった」と好評です。

　また、「介護予防」のための健康寿命を延ばす取り組みにも特に力を入れています。週に3〜4回ある理学療法士による「リフレッシュ体操」や外部講師を招いた「ヨガ体操」等も積極的に実施。毎日の着替えやトイレ、歩行での移動など、ご入居者が日常生活で必要なリハビリ（生活リハビリ）も積極的に実施。今後は、アクティビティの充実を図るためレクリエーションコンテンツの導入も検討中です。

※2023年9月30日までの情報による

まるで高級レストラン
自家調理にこだわる食事が魅力

兵庫県エリア

コンフォートヒルズ六甲 （➡ p.84）

**一人ひとりの
「食」のカルテが秀逸**

　同ホームでまず注目すべきなのが食事。一般的な老人ホームではたとえ "高級型" でも委託事業者に任せていますが、同ホームは自家調理にこだわっています。テーマは「コンフォート・フード」。食べることで心が和み、楽しさを感じられるおいしさを提供。自社で雇用している経験豊

かなシェフと管理栄養士たちが、安全・安心な季節の食材を使い創意を凝らしたメニューを提供しています。専属のパティシエも雇用。毎日提供されるデザートも人気です。

　驚かされるのが「食のカルテ」。ご入居者一人一人の意見や好みを分厚い資料にまとめ、ドレッシングの好みや量に至るまでこだわりを持って提供し、介護食

にも力を入れています。食事の満足度向上のために例年参加している嚥下食メニューコンテストでは、2023 年に優秀賞を獲得。自立時だけでなく、要介護状態になってもおいしい食事を提供してくれるのも嬉しい点です。

総合病院が隣接だから安心

　同一敷地内にあるセコム提携病院の神戸海星病院が隣接しており医療対応力も抜群。高齢者によくある急な発熱、転倒による骨折等の場合、すぐに診察や検査をしてもらえます。初期対応の良し悪しで予後が決まってしまう高齢者にはたいへん安心なシステムです。要介護状態になっても同病院の理事長自らが居室まで在宅訪問診療に来てくれますので、こちらも安心感抜群です。

　また、同病院の整形外科は関西でもトップクラス。病院とホームの理学療法士が連携し退院後のリハビリを受けられるのもメリットです。同ホームではフレイルの対応に力を入れており、ご入居者一人一人の ADL の変化の情報共有を朝礼時に実施し、専門職から構成されるフレイルチームを立ち上げるなどフレイル予防に取り組んでいます。こちらにも神戸海星病院との連携のメリットが現れています。

　そのほかにも 24 時間看護師常駐、多彩なアクティビティの提供、また、介護サービスの質の向上に向け、認知症対応や介護技術のスキルアップ研修に力を入れています。

※ 2023 年 9 月 30 日までの情報による

神戸の緑豊かな高台に立つ
上質な大人のレジデンス

トラストグレイス御影（介護棟）（➡ p.86）

**系列ホテルでの
ランチイベントが好評**

　同ホームは「エクシブ」の名称で名高い会員制リゾートホテルを展開するリゾートトラストグループが運営。最大の特長は、同グループの運営経験を活かしたアクティビティ活動とお食事。まずアクティビティ活動ではコロナ禍が落ち着いた頃より、月1回程度同グループが運営する

会員制ホテルへの外出ランチイベントを企画・実施（※もちろん介護棟ご入居者の方々にも提供。定期開催ではなくスポットイベントとして実施）。御影の周辺（車で30分程度の距離）には、同グループが運営する会員制ホテル「エクシブ有馬離宮」「芦屋ベイコート倶楽部」が位置しているので、距離的にもご入居者に負担なく往復可能です。非

※画像はイメージを含みます

日常感を取り入れる企画として、ホテルでの優雅なひと時や四季折々の食材を楽しんでいただけ、ご入居者にはとても好評な人気イベントとなっています。お食事に関しては、リゾートトラストの会員制リゾートホテルなどのレストランを統括する料理飲料部門が全面協力。旬の素材を活かした味わいや美しい盛り付けはもちろん栄養・健康面にもこだわった、ホテルレストラン部門が運営する本格グルメを毎日お楽しみいただけます。一般棟のレストランでは3食とも複数メニューからの選択制。アラカルトのメニューもあり、「選択不可」が多数派の有料老人ホーム業界の中では珍しい取り組みを行っています。

自立の方だけでなく、常時介護が必要になっても安心

　介護面での同ホームの大きな特長は、敷地内にデイサービスセンター、ケアプランセンター、訪問介護事業所を併設し、軽介護時は一般居室で必要な介護サービスを受けながら生活できること。健康面では館内クリニックおよび 24 時間常駐の看護師の健康相談を受けながら「できるだけ長く一般居室での生活を楽しんでいただきたい」という同ホームの運営スタッフの思いが伝わってくるサービスです。もちろん、常時介護が必要になっても併設の介護棟へ移り住み、手厚い介護サービスを受けられます。看取り実績も十分ですので、六甲の緑豊かな高台で安心した生活が送れます。

※ 2023 年 9 月 30 日までの情報による

外出・面会も制限なしの自由な暮らし
「〇〇に行きたい」がリハビリのモチベーションに

グランフォレスト神戸御影 （➡ p.87）

理学療法士が 1 〜 3 名常駐

　神戸を代表する高級住宅地である「御影」。スミリンフィルケア（株）が運営する介護付有料老人ホームである同ホームは 2018 年 2 月、この閑静な住宅街にオープンしました。「朝には鳥の、夜には虫の声が聞こえてきます。こうした自然豊かな環境と、御影というブランドを求めて入居される方が多いです」と三谷利嘉子支配人は語ります。

　2023 年 9 月 1 日現在のご入居者の平均年齢は 91.3 歳と高いにもかかわらず、平均要介護度が 2.04 と低いのですが、その理由の一つが、充実したリハビリテーション制度です。理学療法士 1 〜 3 名が常駐し、集団・個別リハビリを提供しています。特に日常生活を通じたリハビリの提供に力を入れており、ご入

居者の中には要介護度が4から2に改善した人もいます。

　いくらリハビリ体制が充実していても、ご入居者に「リハビリを頑張ろう」という高いモチベーションがなければ大きな効果は期待できません。そこで同ホームでは「入居する前の生活をなるべく継続してもらう」ことをモットーにしており、ご入居者が三宮まで買い物や食事に行ったり、ご家族と旅行に行ったりするのは当たり前でした。

　新型コロナウイルス感染症に関する規制がなくなってからは、ホームでの生活もコロナ禍前に戻り、気軽に外出するご入居者が大勢います。ご家族の面会も制限がなくなりました。

　今後は、集団での外出レクリエーションも再開する予定です。

専門家による園芸療法を実施

　散歩などの運動の場としてのほかに園芸療法の場としても使用される中庭では、園芸療法士の資格を持つ職員の指導のもと、毎週水曜日に野菜や果物、花などを栽培しています。また、それまで自宅の庭や菜園で育ててきた草木の鉢などを持ち寄るご入居者もいます。その中には小さな桜の苗木もあり、毎年春にはご入居者や職員の目を楽しませているそうです。

　親会社が住友林業であることから、共用部や室内など建物に木をふんだんに使用しているのも特徴です。「温かみを感じる」「調湿機能があり、室内環境が一定に保たれる」といった効果に加え「ご入居者がそれまで過ごしてきた家と近い環境を提供できる」というメリットがあります。

開設17年の都市型ホーム
健康寿命増進へ積極的に取り組む

兵庫県エリア

エレガーノ甲南 （➡ p.90）

**高級老人ホームながら
常に満室に近い稼働で推移**

スミリンケアライフ（株）が運営するエレガーノ甲南は、都市型立地でありながら十分な共用施設、居室の広さを有し、館内にクリニックも併設、24時間看護師常駐、手厚い介護職員配置で看取り率90%、専門職による個別リハビリの実施、職員の接遇の良さ、職員定着率の高さ等、

ハード面でもソフト面でも業界の手本となっているホームです。おのおののサービスの良さが評価され、2年連続☆☆☆を獲得しています。

**栄養バランスを考慮した食事は
イベント食や課金メニューも好評**

同ホームで健康寿命増進のために最も力を入れているのが食事。食事は毎日のことだけで

なくフレイル予防や認知症予防にも大切。おいしいことはもちろんながら、健康的で食べやすく、目にもおいしい食事を目指し日々工夫されているよう。

「当ホームの食事は、厚生労働省が推奨する食事摂取基準に基づき、朝・昼・夕の3食合計で1,600kcal、かつ、塩分は7.5g未満になるよう献立を構成しています。また、緑黄色野菜を効率良く摂取できるようお野菜たっぷりの献立になっています」と施設長。

そんな健康的なお食事ですが、どうしても献立に飽きがきてしまいます。そこで①朝食には焼きたてのパンを提供、②週に3〜4回、人気の天丼や有頭エビフライなどイベントメニューを提供、③追加料金を設定し、う

なぎ丼定食やヒレステーキ定食など優雅な食事を提供——これらの取り組みで、食事に関してはご入居者から高い評価を得ています。

職員の生産性向上により
サービス提供の時間を確保

介護サービスの品質確保のためにもさまざまな取り組みを実施中です。特に介護居室ご入居者の身体的・精神的負担の軽減、介護職員の身体的負担の軽減を目的に①見守りセンサーの全室導入、②移乗サポートロボットの導入、③マイクロバブルバスユニットの導入等に取り組んでいます。

※ 2023 年 9 月 30 日までの情報による

ご入居者の「QOL向上」を掲げる
リハビリ・看護体制のトップランナー

兵庫県エリア

シニアスタイル西宮北口 （➡ p.93）

今年も全施設に☆を付与

　シニアスタイルと言えば、『有料老人ホーム三ツ星ガイド』の常連。毎年、調査対象施設に☆が付与されています。今年も全施設に☆が付与されましたが、☆☆☆に選出されたのがシニアスタイル西宮北口。同ホームはシニアスタイル社初の介護付有料老人ホーム。手厚い介護体制に加え、24時間の看護師の配置、専門職による個別リハビリとサービス面で特に充実。特に個別リハビリに関しては、「QOL（クオリティオブライフ＝生活の質）向上へ」を運営テーマに、病気や加齢により、それまで通りの生活ができなくなった場合でも、決して諦めず、「こうしたらできる」「こうすれば楽しい」を形にするため、一人ひとりと対話し、少しでもできることを増やすため

に支援されています。ただ、強制ではなく「QOLを決めるのはその方」ですので、無理せずゆっくりとした支援を行っています。こうした同ホームの努力の結果、7割近くの方が、筋力・認知能力とも維持・向上という驚くべき成果が上がっています。

**ナースミーティング、
新たなグループ診療所の設置。
新たな取り組みが次々と**

　サービス面では関西のトップランナーである同ホームですが、昨年は新たな取り組みを次々と展開。さらなる進化を遂げています。新たな取り組みとして、介護サービス面では新たなOJT制度の導入。これはシニアスタイル社内で模範職員を選出し、新人育成としてOJTを担当することでの早期戦力化、サービス向上を実現しました。次にナースミーティングの実施。「看取り」

に重点的に取り組む同ホームとして、夜勤看護師と日勤看護師の連携を深めるミーティングを改善することにより安全性の向上を図りました。また医療面でシニアスタイルグループの「なごみクリニック」の訪問診療がスタート。医療スタッフ、看護師、介護士の連携を強化することにより、看取り能力の向上につながっています。

　このように説明すれば、「真剣さ」が前面に出て、少し堅苦しいホームのように思われがちですが、施設長以下、元気でにぎやかな女性職員、口数は少ないけれど心優しい男性職員が在籍しています。「本当に職員に恵まれたホームだと思っています」と同社廣瀬社長。介護サービス、個別リハビリ、看取り能力に加え、明るく楽しいがモットーのホームです。

※ 2023年9月30日までの情報による

看護師の常駐、診療所との連携で
さらなる看取り機能の強化へ

シニアスタイル東園田 (➡ p.102)

**グループ内診療所
「なごみクリニック」を開設**

　『有料老人ホーム三ツ星ガイド』の常連、シニアスタイル。その中で☆☆☆に選出されたのがシニアスタイル東園田です。7階建て120室と同社の中でも最大規模のホームです。2階〜4階は従来のシニアスタイルの施設を踏襲しご入居者本位を念頭に置いて職員がご入居者に寄り添う軽中介護フロア、5階は認知症対応型フロアとして、身体だけでなく心のケアにも配慮する認知症ケアの視点を持ち合わせた介護士が見守る中で、安心して毎日を過ごしていただける優しい空間、そして6、7階が看護師が24時間体制で常駐しているナーシングホーム。医療依存度の高い方にも病院ではないホーム（家）で過ごすことが可

能なフロアです。特徴は同社初のナーシングホームであること。24時間の看護師配置にすることで、夜間の胃ろう対応やたん吸引等が可能となり、一人一人に合わせたケアが可能になりました。

「ワンチーム」体制で取り組むことで困難事例も解決

ナーシングホーム、認知症対応型フロアを有する同ホームにとって重要なのは職員間の意識の共有。同ホームは今年度の施設目標を"伝え合う努力と工夫でワンチーム"と定め、職員間、職種間、関係者間、そしてご入居者と職員の関係においても伝え合い、共有することで安心感を構築していきます。決して一方的にならず、お互いに伝え合う努力と聴き合う努力の姿勢を忘れないことで、チームで良いケアを実践できるホームの実現を目指しています。

さらに、「眠りスキャン」の活用によるケアプランの改善や職員の業務負担軽減、ご入居者の生活習慣の改善、専門職の個別リハビリの提供によるご入居者のQOLの向上、手厚い夜間職員配置、有資格者が専門的な研修を行うことによる職員の認知症対応レベルの向上等従来の取り組みに加え、さらなるサービスレベルの向上を目指しています。

老人ホーム選びには迷いや不安がつきまとうと思いますが、同ホームではしっかりとその気持ちに寄り添い問い合わせから入居までしっかりサポートしています。

※2023年9月30日までの情報による

「リハビリ」を強化
「元気になって在宅復帰※」も視野に

※脳梗塞リハビリセンター監修

エイジフリー・ライフ星が丘 （→ p.105）

「機能維持」から「機能向上」へ

　パナソニック エイジフリーが京阪電鉄沿線で運営する3棟の高級有料老人ホームの中でも、介護付有料老人ホーム「エイジフリー・ライフ星が丘」は2004年からリハビリテーションに力を入れているのが大きな特徴です。

　ホームの裏側には京都の嵯峨野を思わせるような立派な竹林が広がっています。外部の人との接触を避けられるということもあって、コロナ禍でも竹林内に設けられた80メートルほどの遊歩道を散歩して体力維持に取り組むご入居者がいるなど、もともとリハビリに熱心な雰囲気があったそうです。

　2022年春に、リハビリの強化を目的にした大規模リノベーションに際して、リハビリの目的を、これまでの「機能維持」から「機

能向上」へと変更し、「元気になって自宅に戻ってもらう」ことも視野に入れました。ホームにはリハビリの専門家である理学療法士ないし作業療法士が複数常駐しており、集団リハビリと個別リハビリを提供しています。

リハビリ機器も昨年一新

特に力を入れたのが脳卒中患者に対するリハビリです。「脳梗塞リハビリセンター」を全国で展開しているワイズの監修のもと、「歩けるようになりたい」「自分の口で食べられるようになりたい」など、ご入居者一人一人の目標や夢に合わせた個別プログラムを作成し、専門家が目標達成まで伴走していきます。

また、これに合わせて2階のリハビリルームの機器も一新しました。全身運動機器の「ニューステップ」、言語練習機器のほか、「レッドコード」などを導入しています。特に歩行訓練機器の「HALTREAD」は、「エイジフリー・ライフ星が丘」が全国の高齢者施設でいち早く導入。

リハビリ強化型としたことで、高齢者住宅入居相談事業者やケアマネジャーに対してよりアピールポイントを明確化できるようになりました。ご自身の身体の状態を少しでも改善したい、というモチベーションを高め、維持できることを常に念頭において、ご入居者と接するようにしています。

※ 2023年9月30日までの情報による

共用部全面リノベーション完了
ご入居者と家族の交流・絆を深めるホームに

大阪府エリア

エイジフリー・ライフ香里園 （➡ p.117）

スイートルーム風の家族室

　2022年末に共用部のフルリノベーションを完了し、名称も変更したのが、パナソニック エイジフリーの運営する介護付有料老人ホーム、エイジフリー・ライフ香里園（旧名称：サンセール香里園）です。

　リノベーションのポイントはアクティブな方がよりホーム内で楽しく過ごせるように、と工夫したことです。

　コロナ前のように気軽に外出をするのは控えたいという方もいるため、ホームの中でご入居者同士、またはご家族と積極的にコミュニケーションを図れるようにしました。

　1階には、ホテルのスイートルーム風のファミリールームを設けました。ご入居者とご家族が一緒に泊まれますので、時間を気にせず思い出話に花を咲かせ

ることができます。また、これまでの応接室は、隣室と一体化する形で拡張し、ご家族と一緒に食事がとれるダイニングルームとしました。

　ご入居者同士のコミュニケーションの場として新たに設けたのがシアタールームです。映画鑑賞、カラオケなど多目的に利用できます。また、ここもご家族の利用が可能です。

**リハビリテーション機器も
全面刷新**

　アクティビティ専属の職員を1名配置し、ケーキバイキングやゲストを招いたコンサートをはじめとする多彩なイベントを行うなど「ご入居者を楽しませる」ことについては定評のあるホームで、「コロナで外出がままならないご入居者の楽しみになれば」

と、希望者には高級料亭「なだ万」の弁当を特別食として出す取り組みを始めています。ここに、今回のリノベーションが加わり、より多種多様なアクティビティの提供が可能となりました。

　もちろん、介護や医療支援が必要になった方への対応も万全です。人員配置は基準の2倍の1.5対1、看護師は24時間常駐と手厚い体制を整えており、どのような状態になってもホームで生活することが可能です。看取りにもしっかり対応します。また、昨年末のリノベーションの際には、先にリハビリテーション強化をホームの特長に打ち出した「エイジフリー・ライフ星が丘」と同じ機器を導入し、より効果の高いリハビリテーションを、気軽に、安全に受けることができるようになりました。

※ 2023 年 9 月 30 日までの情報による

アクティビティ充実で退屈知らず
ICT導入でサービス力アップ

大阪府エリア

介護付有料老人ホームぽぷら （→ p.119）

**「地域とともに」という
意識を大切に**

　「当ホームは2023年12月で開設19年目を迎えます。地域の皆様、ボランティアの皆様等に支えられながら運営させていただいております」と川口貴司施設長が語るとおり、ぽぷらが運営上最も大切にしているのが地域とのつながりです。有料老人ホームはとかく地域で孤立しがちですが、同ホームは開設以来、会社としてこの姿勢を貫いています。

　そんなぽぷらがサービスで最も重視しているのがアクティビティ。コロナ禍が長引く中でも日曜午前を除く週13回のアクティビティ実施を継続。レクリエーション介護士の資格を持つ職員、アクティビティ担当の職員、理学療法士の3名が工夫を凝らし

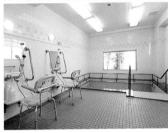

たプログラムを提供しています。「新型コロナウイルス感染症に伴い自粛・制限されてきた外出行事などにも今後は再び力を入れていきたいと思います」と同施設長。今後も地域の協力のもと、どんなプログラムが提供されていくか楽しみです。

ICT導入により「サービスの質」がさらに向上

サービスの質の向上を目指し、同ホームが昨年取り組んだのがICT（情報通信技術）化。昨年はインカムの導入・眠りスキャンの導入を行ったそう。インカムの導入により、職員間の体制や申し送り、連絡などがよりスムーズに行われ、情報共有や作業の効率化につながりました。

特に眠りスキャン導入の効果

は大きく「ご入居者のベッド上での行動把握に加え睡眠状況や心拍数・呼吸数などからデータを得ることで、夜間不眠傾向にある方へのアプローチとして日中の活動性を上げる取り組みを行ったり、睡眠導入剤や安定剤の服用に関して専門医と相談し変更を行ったりできます。看取り期では心拍数や呼吸数のデータを読み解くことで、担当医との連携やご家族との面会（看取り時の立ち会い）などができるようになりました」と同施設長。このように開設後19年の歴史を持ちながら毎年進化を続けるぽぷらから目が離せません。

※ 2023年9月30日までの情報による

重度対応・ターミナルケアに注力
25年の実績であらゆるノウハウを蓄積

エイジフリー・ライフ大和田 (➡ p.125)

開設来勤続25年の職員も

パナソニック エイジフリーでは、2000年前後に京阪電鉄沿線で3棟の高級有料老人ホームの運営を開始しました。その中で、最も長い歴史をもつエイジフリー・ライフ大和田では「重度者・医療対応、ターミナルケアの強化」を打ち出しています。

人員配置は1.5対1、看護師が24時間常駐と手厚い体制を整えており、現在、要介護4と5のご入居者が全体の約4割を占めています。また、年間平均で17〜18名ほどをホームで看取るなど、文字通りの「終の棲家」となっています。

いちばん歴史がある分、看取り、難病、困難事例など、さまざまなご入居者に対応してきたノウハウが十二分に蓄積されています。「開設以来25年間勤務

しているなどベテランの職員も多く、その知識・技術が若い職員にしっかりと継承されています」とパナソニック エイジフリー施設営業課の増田 猛課長は話します。それほど数は多くありませんが、ほかの2つのホームから、身体状況の変化により移って来るご入居者もいるそうです。

「館内時間」をより安心・安全に

昨年より順次館内のリニューアルを行っています。これも重度でほとんどの時間を館内で過ごす人が多いため、「より館内を快適に」を念頭に置いています。

共用部に100インチの大型モニターを設置しました。ここに国内外の観光名所の映像などを流して、ホームにいながら旅行気分を味わってもらっています。

また同ホームでは、新型コロナウイルス感染症が5類になったことから、今年6月よりプロの音楽家や芸人などがホームを訪問するアクティビティを月に1回実施しています。ほとんど反応を示すことがなくなったご入居者でも、プロのパフォーマンスに直に触れると、表情の変化を見せることがあります。また、その変化が職員に新たな気づきを与えますので、よりその方にあった介護・サービスを提供することにつながります。

次は、2024年初頭をめどに、全9ユニットの共用部のインテリアをリニューアルする予定です。これも館内で過ごす時間が長いご入居者に、少しでも楽しみや安らぎを感じてもらいたい、との考えからです。また、これに合わせて最新の感染予防機器を導入し「安心・安全」を提供していきます。

※2023年9月30日までの情報による

洗練された空間でワンランク上のホスピタリティを提供

大阪府エリア

グッドタイム リビング 大阪ベイ（➡ p.197）

**贅沢な住環境に加え
24 時間体制のケアも好評**

大阪メトロ中央線「弁天町」駅に直結し、徒歩約1分の好立地。建物の下層階にはクリニックモールや飲食店もあり、利便性に優れています。館内のレストランには空中庭園が隣接し、都心にいながら四季の彩りを感じられる贅沢な住環境が評判です。

ご入居者は「ゲスト」と呼ばれ、介助が必要な場合は「ケアアテンダント」と呼ばれる介護職員が、24 時間体制で身体の介護だけではなく心のケアにも気を配ってくれるので、認知症や寝たきりになっても安心して居住できるシステムだといえます。

また、フロント対応や館内アクティビティの企画運営を行う「サービススタッフ」を多く配置しており、きめ細やかなサービ

スを提供しています。

多種多様なアクティビティと毎食選べる食事

同ホームには、毎日を喜びと充実感で満たす、4 〜 5 種類の独自のアクティビティプログラムが用意されています。趣味・教養・娯楽から運動リハビリ系までバラエティー豊かで、各自が好きなプログラムに自由に参加可能です。要介護状態になるとなかなか難しい外出ですが、ここではランチツアーやお花見、クルーズなども用意されており、いずれも職員がアテンドするので、安心して楽しむことができます。

館内の厨房で専任シェフが腕を振るう食事は、朝・昼・夕の3 食とも 2 種類のメニューを用意。ご入居者自身がその日の気分や嗜好に合わせて、好みのメニューを選ぶことができます。ほかにも「非日常」や季節を盛り込んだスペシャルメニューが定期的に用意され、全国各地の郷土料理や、屋台に見立てた実演イベントなど「おいしい」はもちろん「わくわく」できるような食の楽しみを演出しています。

また、館内にはビューティーサロンやパーティールームを完備しています。ビューティーサロンでは、カットやパーマだけでなく、エステやネイルアートなど本格的なプロのサービスを受けることができると好評です。

こうした多彩で充実したサービスを受ける日々を過ごすなかで、「入居して表情が明るくなった」と言われる方も多いそうです。

※ 2023 年 9 月 30 日までの情報による

地域コミュニティとの交流を通して
ご入居者一人一人の笑顔を生み出す

そんぽの家　弁天町 （➡ p.199）

**ACPの推進によってご入居者の
意思決定を大切にする**

　そんぽの家 弁天町では現在、
ACP（アドバンス・ケア・プラ
ンニング）の推進に取り組んで
います。ACPとはもしもの時に
備えて、ご入居者自身が望む生
活や医療およびケアについて、
前もってご家族などとホームが話
し合い、本人による意思決定を
支援するプロセスのことをいい

ます。

　同ホームでは一般的なACPと
は違い、もっと身近でもっとささ
やかな思いを叶えることに力を
入れています。ヒアリングする内
容は、理想とする1日の過ごし
方、会いたい人はいるか、体調
が悪い時に食べたいものは何か
等、日々のケアにも活かせるも
のです。そして話し合った内容
はご家族にも共有し、ご入居者

の要望が少しでも実現できるよう働きかけています。

地域とのつながりをつくり出す「子ども食堂」を開設

新たな取り組みとして、2023年4月から「子ども食堂」を開始。半年間で延べ51人が参加しました。毎月違った子ども向けのアクティビティを考え、職員だけでなく地域の力も借り、毎回楽しい時間を過ごすことができています。

地域住民にホームを開放するメリットは多くあります。ご入居者にとっては貴重な多世代交流の機会となりますし、職員にとってはご入居者の笑顔が増えることで仕事のやりがいにもつながります。さらに、地域住民にとっても同ホームが憩いの場となり

得ます。同ホームでは「子ども食堂」を通じて、地域住民においしい食事を提供し、参加する子どもたちに向けても楽しい思い出を作るための手伝いをしているのです。

情報開示に力を入れ、より開かれたホームへ

同ホームでは、ご入居者の日々の様子をホームページ上で「そんぽの家　弁天町　ホーム便り」として伝えています。そこには笑顔のご入居者と職員が多数掲載されており、ホーム内の様子がよく伝わる内容になっています。

ホームの見学も随時受け付けています。地域一番のホームであり続けることを目指し、職員全員でクオリティを維持するために取り組んでいるのです。

※ 2023年9月30日までの情報による

ペットと一緒に看取りまで
京都で安心して暮らせる老舗

京都府エリア

ライフ・イン京都 (➡ p.206)

阪急沿線の便利な立地で
自立から看取りまで対応

　介護付有料老人ホーム、ライフ・イン京都は、阪急京都線「桂」駅からホーム専用シャトルバスで15分の立地にあります。「桂」駅からは京都屈指の観光地である嵐山や嵯峨野、京都の中心エリアの河原町、烏丸に直通で行けるので、アクティブシニアにとっては、たいへん魅力のある立地です。

　館内に診療所があり、また運営母体が同じ法人の総合病院である京都桂病院も隣接しているため、医療依存度が高い方も、医療との連携をとりながら暮らせるのが強みです。

　また、開設37年を迎え、介護・看護とも経験豊富なホーム、社会福祉法人の経営で、経営的にも安定しているのが特徴です。

62

ペットとの入居が可能で
手厚い職員配置も魅力

　有料老人ホームはペット禁止がほとんど。高齢者は子どもの独立後、ペットと暮らしている方が多いのですが、同ホームは、ご入居者の大切なペット（犬・猫等）と一緒に居室で暮らすことが可能です（※一部、遵守するべきルールがあります）。これはペットと暮らしたい高齢者にとって嬉しいシステムです。

　その他、手厚いケアや職員配置、経験豊富な職員が多い、24時間看護師、リハビリ専門職（理学療法士）の配置等、ソフト面のサービスも高い評価を受けています。また、昨年もご本人・ご家族の希望に沿って27名を看取るなど、看取りケアの実績も十分です。

　新型コロナが5類に移行し、これまで同ホームの特徴の一つであったサークル活動、レクリエーション活動も感染対策を十分に実施しながら復活してきています。コロナ禍以降の生活様式の変化に合わせたコンサートや講演、集団での外出等のイベントの再開、長年にわたり行ってきた京都大学東南アジア地域研究研究所との共同研究の再開等が挙げられます。

　歴史深い京都で、系列の総合病院隣接による安心な暮らしを望む方にうってつけのホームです。

※ 2023 年 9 月 30 日までの情報による

リゾートトラストグループだから
提供できるおもてなしの介護

トラストガーデン四条烏丸（→ p.214）

**食事や外出など
アクティビティが目白押し**

　運営方針は「明るく楽しい介護を目指す」。その方の生きてきた人生を知り、病気を知り、その日の朝の状態を知ることで、本当の楽しさを提供できる、楽しさのためにはなんでもやってみよう、という精神でホーム運営を行っています。

　手厚い人員体制で介護士・看護師・リハビリスタッフ・ケアマネジャーが連携し、生活スタイルや身体の状態に合った個別ケアプラン（「輝きプラン」）を作成。一人一人の希望に沿った最適なサービスを提供しています。

　同ホームが特に力を入れているのがアクティビティ。外出ランチツアー、御朱印巡り、居酒屋スタイルの夕食、脳トレや臨床美術、フラワーアレンジメント、

※画像はイメージを含みます

喫茶の会、近隣のお寺への散歩等並べたらきりがないほどのアクティビティを提供。ご入居者が本当に楽しいと思えるレクリエーションを提供しています。

ICTを活用した
サービス向上に取り組む

　同ホームでは次々と新たな取り組みにチャレンジ。職員教育の観点からは職員向け研修「介護塾」をスタート。生産性の向上の観点からは朝夕のサービスが重なる時間帯の短時間（2時間のみ）勤務パートの積極採用、同ホームの自慢である「食事」の観点からはお誕生日に料理長の手作りケーキの提供と、昨年もさまざまな取り組みを行いました。

　今後も人型介護ロボット「はんなちゃん」の試験運用（夜間巡回・日中の転倒見守り）、ホスピスケアルームを開設予定（ベッドサイドモニター等医療機器の拡充）などICTを活用したサービス向上に取り組む予定です。

　さらに日常を彩るさまざまなアクティビティの提供に力を入れるとともに、地域との交流（祇園祭の物販手伝い・夏祭りの屋台運営・運動会参加等）と心に深く寄り添う「看取り介護」をテーマに「入居して良かった」と心からご満足いただけるサービス提供を目指しています。

※2023年9月30日までの情報による

建物全体の65%が共用部
高級ホテル並みのゆったりした空間が自慢

京都府エリア

ヒルデモア東山（➡ p.215）

最も小さい部屋でも28平米

　ホーム正面に立つと、歴史と風格を感じさせる建物デザインに目を奪われます。さらに、ロビーは天然の大谷石を多用するなど高級ホテルさながらの落ち着いた雰囲気を醸し出しています。実際に建物を見たご本人が気に入ってぜひここにしたいと入居されるケースが多くあります。

　生命保険会社が迎賓館などと

して使用していた建物を改修して2004年に開設しました。建物の設計は旧帝国ホテルの設計者として知られるフランク・ロイド・ライトの流れを汲むレーモンド設計事務所。高級クラシックホテルを思わせる雰囲気なのも納得です。

　改修する際にもっと多くの居室を設けることもできたのですが、ゆったりと落ち着いた空間

を追求したこともあり、最も小さい部屋でも28平米の広さがあります。また、床面積の65%が共用スペースとなっており、ご入居者のコミュニケーションの場などとして活用されています。例えば床の間付きの和室と茶室は、ご家族の宿泊や各種レクリエーション、ちょっとした集まりの場として人気で、窓から見える緑豊かな和風の庭園も好評です。

暮らしの中で自然にリハビリ

もともと高齢者住宅として設計された建物ではなかったこともあり、建物内には階段やちょっとした段差があります。しかし、これが結果的に日常生活を通じてのリハビリテーションになるようで、入居時よりも歩行能力が改善するケースも多いとか。もちろ

ん理学療法士による個別・集団リハビリテーションも週に2回実施されています。

ソフト面では、1.5対1の人員配置、看護師24時間体制などの手厚いケアが売り。看取りにもしっかり対応しており、ご本人やご家族が望めば、和室でお別れ会をすることもできます。

地産地消にこだわった食事も自慢の一つです。自社調理ですので、一人一人の咀嚼・嚥下能力などに応じた食事の提供が可能です。また「食べる環境も大事」との考えから、レストランはホームでも最も眺望のいい場所になっています。広くとられた窓からは京都市街の北半分が一望のもと。京都の夏の風物詩である五山の送り火も眺められます。

※ 2023 年 9 月 30 日までの情報による

京都と奈良、二つの古都に直結する「高の原」でアクティブな毎日を

京都府エリア

ローズライフ高の原 （➡ p.216）

**緑豊かで閑静な雰囲気が
魅力の街の駅前立地**

　介護付有料老人ホーム、ローズライフ高の原は、自立の方を対象に中度の要介護状態の方まで暮らすことが可能で、充実した共用施設を有するアクティブコート（91室）、重度の要介護状態の方が看取りまで暮らせるサポートセンター（38室）を有しています。運営は全国で有料老人ホームを運営する警備会社大手のアルソック。同社は介護最大手のSOMPOケアとも一緒にさまざまな取り組みを行っているので、安心で品質の高い介護サービスを提供できるのではないでしょうか。

　もともと緑豊かな住宅街にありながら駅近の至便な立地。最寄りの近鉄京都線「高の原」駅には大型ショッピングモールがあり、また同駅は特急停車駅で古

都京都や奈良、飛鳥地方にまで足を延ばせるため、アクティブシニアには嬉しい立地です。こうした立地の特長から、近隣の奈良県や京都府だけでなく、大阪府、兵庫県等の関西圏や関東地方からの入居も多いそうです。

**自立入居者には
介護予防を積極的に提供**

同ホームは2009（平成21）年の開設から約15年が経過し、初期入居の方々が80〜90歳を迎えています。そのなかで今、最も力を入れているのが介護予防、専門職によるフレイル予防のためのフィットネス、認知症予防プログラムの提供等です。特にフィットネスは月曜〜金曜まで、フィットネス担当トレーナーが毎日複数のプログラムを実施。体調・気分に応じて、好みのプログラムに参加できます。

※2023年9月30日までの情報による

とりわけ人気の高いプログラムが「レッドコード」。天井から吊るされた2本のレッドコード（赤い紐）を握って、身体に負荷をかけずにバランス機能や柔軟性の向上を目指します。紐を持っているので、転倒の危険性も低く、安全にダイナミックな運動を行うことができます。腰痛予防体操や、ステップ台体操、マットストレッチ（下半身ストレッチ）などさまざまな体操に活用しています。その他マシントレーニング、集団体操、年2回の体力測定等がご入居者から高い評価を得ています。

サポートセンターでの品質の良い介護サービスも好評。手厚い人員配置、24時間看護師常駐、専門職による個別リハビリ、ノーリフトケア等、安心安全の介護を提供。看取り能力の高さも同ホームの特長の一つです。

全国のサンシティの中でも
介護に特化したロイヤルケアシリーズ

京都府エリア

サンシティ木津 (→ p.217)

コロナ5類扱いで再始動。
充実のレクリエーション

　関東・関西を中心に17ホームを運営するサンシティ。主に自立入居の大型ホームが中心ですが、今回☆☆☆に選出されたのはサンシティシリーズの中でも全国に3施設しかないロイヤルケアシリーズの一つ、サンシティ木津。「規則正しく、居室にこもらない、ご入居者同士のふれあいがある、充実した毎日を過ごせる」が同ホームの運営方針。手厚い人員配置、24時間看護師常駐、充実の共用空間、一人一人の状態に合わせた食事、充実のレクリエーションの「5つの特徴」を掲げ日々進化しています。

　同ホームが現在注力しているのは、①必要な感染予防対策をしっかりと行いながらもコンサー

トをはじめとしたさまざまな楽しいイベントを増やすこと、②おいしくて健康になれるお食事とご家族ご友人とも一緒に楽しんでいただけるイベントメニューをご提供すること、③レクリエーションや文化祭などのイベントを通したご入居者と職員との心の通った交流を行うこと、の 3 テーマ。

もちろん、専門職を配置した個別リハビリも充実。レクを楽しんでもらうにも心身の健康維持は大切です。さらに IoT や AI を活用した介護システム導入を積極的に推進。「介護記録システム」、「ご家族だけが閲覧可能な専用 web ページの導入」等により生産性向上に取り組み、新たに生まれた時間を活用し、介護の質の向上や人材育成を図っています。

新たに「アシストサービス課」を設置

新たな取り組みとして、「アシストサービス課」という課を立ち上げ、独自の介護予防・自立支援に取り組んでいます。ソーシャルワーカー、ケアマネジャーなどの職員が専門職チームを組んで他部署や医療機関、ご入居者とご家族との連携を取りつつ、ご入居者がいつまでも自分らしく暮らせるようサポートしています。

高い顧客満足度を追求し、日々進化する同ホーム。最長 6 泊までの体験入居も受付中です。

※ 2023 年 9 月 30 日までの情報による

「立ち止まってご挨拶」が
高級老人ホームの真髄

滋賀県エリア

アクティバ琵琶 (➡ p.222)

**「いつまでもお元気でいてほしい」
そんな気持ちでリハビリを強化**

　アクティバ琵琶は開業36年の介護付有料老人ホームです。同ホームは琵琶湖を望む絶好のロケーションに恵まれ、西方には霊峰比叡山を望むリゾート感覚溢れる地に立地しています。京都にも近く神社・仏閣に気軽に出掛けたりすることができるのも「アクティバ琵琶」の魅力の一

つ。アクティブシニアには楽しみの尽きないシニアライフを送れます。

　リゾートトラストグループのブランドのアイデンティティである「ご一緒します、いい人生」をこのホームの中で実現できるよう、ご入居者のお体と心に寄り添い、「ここを選んで本当に良かった」と仰っていただけるように日々努めています。その一つに

※画像はイメージを含みます

「立ち止まってご挨拶」を全員が心掛け、ご入居者に気持ちよく笑顔で過ごしていただけるよう意識しています。

　同ホームの特長はアクティビティ活動の充実。コロナが5類に変わってから、「元気な日常」を取り戻そうと、感染防止との両立を行いながらイベントやサークル活動を再開。先日は、同グループの「エクシブ京都 八瀬離宮」へランチツアーに出掛け、ご入居者の皆様に楽しいひと時を過ごしていただいたり、別の日には館内のエントランスホールでジャズコンサートを行うなど、館内に賑わいが戻ってきています。最近ではシニアフィットネスやリハビリに注力。理学療法士4名、柔道整復師1名、言語聴覚士1名を配置し、お元気なうちは、機能訓練指導員がフレイル予防

を中心としたトレーニングやご入居者の状態に合わせた個別リハビリ等を提供、少しでも痛みを取り除き、身体機能の維持回復に努めています。

充実の人員体制。看取り力も十分

　介護力も充実。手厚い人員体制はもちろんのこと、クリニック併設、24時間体制で介護士、看護師、そして医師が常駐しており安心です。変わったところでは、比叡山延暦寺大霊園にアクティバ琵琶のメモリアルヒル（永代供養塔）を所有。お墓のことで心配はいりません。琵琶湖が見渡せるすばらしい立地と広々とした区画の中に建っている同ホーム自慢のお墓です。元気なうちから入居し、終の棲家として最後まで安心してお過ごしになれるホームです。

※ 2023 年 9 月 30 日までの情報による

府県別でみる

星獲得 146 ホーム
一挙大公開

施設紹介ページの見方

施設種別
P10 参照

施設名　施設住所

電話番号　その他特長
P10 参照

室数

星の数

付与された星の数

エリア

エリアに該当する市町名

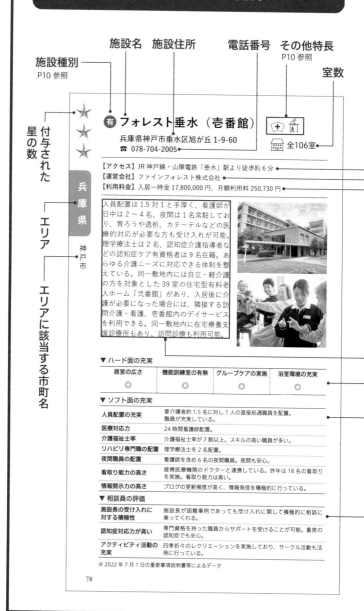

兵庫県

神戸市

有 フォレスト垂水（壱番館）

兵庫県神戸市垂水区旭が丘 1-9-60
☎ 078-704-2005

全106室

【アクセス】JR 神戸線・山陽電鉄「垂水」駅より徒歩約 6 分
【運営会社】ファインフォレスト株式会社
【利用料金】入居一時金 17,800,000 円、月額利用料 250,730 円

人員配置は 1.5 対 1 と手厚く、看護師が日中は 2～4 名、夜間は 1 名常駐しており、胃ろうや透析、カテーテルなどの医療的対応が必要な方も受け入れが可能。理学療法士は 2 名、認知症介護指導者などの認知症ケア有資格者が 9 名在籍。あらゆる介護ニーズに対応できる体制を整えている。同一敷地内には自立・軽介護の方を対象とした 39 室の住宅型有料老人ホーム「弐番館」があり、入居後に介護が必要になった場合には、隣接する訪問介護・看護、壱番館内のデイサービスを利用できる。同一敷地内に在宅療養支援診療所もあり、訪問診療も利用可能。

▼ ハード面の充実

居室の広さ	機能訓練室の有無	グループケアの実施	浴室環境の充実
◎	◎	◎	◎

▼ ソフト面の充実

人員配置の充実	要介護者約 1.5 名に対し 1 人の直接処遇職員を配置。職員が充実している。
医療対応力	24 時間看護師配置。
介護福祉士率	介護福祉士が 7 割以上。スキルの高い職員が多い。
リハビリ専門職の配置	理学療法士を 2 名配置。
夜間職員の配置	看護師を含め 6 名の夜間職員。夜間も安心。
看取り能力の高さ	提携医療機関のドクターと連携している。昨年は 18 名の看取りを実施。看取り能力は高い。
情報開示力の高さ	ブログの更新頻度が高く、情報発信を積極的に行っている。

▼ 相談員の評価

施設長の受け入れに対する積極性	施設長が困難事例であっても受け入れに関して積極的に相談に乗ってくれる。
認知症対応力が高い	専門資格を持った職員からサポートを受けることが可能。重度の認知症でも安心。
アクティビティ活動の充実	四季折々のレクリエーションを実施しており、サークル活動も活発に行っている。

※ 2022 年 7 月 1 日の重要事項説明書等によるデータ

78

アクセス 公共交通機関を利用した場合

運営会社 ホームを運営する事業者名

利用料金 入居金や月額利用料の一例等

施設の総評 星の付与につながった特長を基に
介護の三ツ星コンシェルジュ編集部が記載

ハード面の充実（※該当しないところはいずれもマークなし）

> 居室の平均的な広さ

要介護高齢者対象の方の居室
◎：全室平均20㎡以上　　○：全室平均18㎡以上

> 機能訓練室の有無

◎：機能訓練施設があり、設備も充実している
○：機能訓練施設がある

> グループケアの実施

◎：ユニットケアを実施　　○：フロアケアを実施

> 浴室環境の充実

◎：十分な入浴環境を整えている
○：入浴環境を整えている

ソフト面の充実 介護の三ツ星コンシェルジュ編集部が
重要事項説明書等によるデータに基づき記載
（ハード面の充実も同じ）

相談員の評価 一般社団法人 日本シニア住宅相談員協会の調査による
職員の接遇態度の良さやアクティビティ活動の充実等
の特筆すべきポイント

兵庫県
神戸市

有 フォレスト垂水（壱番館）

兵庫県神戸市垂水区旭が丘 1-9-60
☎ 078-704-2005

全106室

【アクセス】JR 神戸線・山陽電鉄「垂水」駅より徒歩約 6 分
【運営会社】ファインフォレスト株式会社
【利用料金】入居一時金 17,800,000 円、月額利用料 250,730 円

人員配置は 1.5 対 1 と手厚く、看護師が日中は 2 〜 4 名、夜間は 1 名常駐しており、胃ろうや透析、カテーテルなどの医療的対応が必要な方も受け入れが可能。理学療法士は 2 名、認知症介護指導者などの認知症ケア有資格者は 9 名在籍。あらゆる介護ニーズに対応できる体制を整えている。同一敷地内には自立・軽介護の方を対象とした 39 室の住宅型有料老人ホーム「弐番館」があり、入居後に介護が必要になった場合には、隣接する訪問介護・看護、壱番館内のデイサービスを利用できる。同一敷地内に在宅療養支援診療所もあり、訪問診療も利用可能。

▼ ハード面の充実

居室の広さ	機能訓練室の有無	グループケアの実施	浴室環境の充実
◎	◎	◎	◎

▼ ソフト面の充実

人員配置の充実	要介護者約 1.5 名に対し 1 人の直接処遇職員を配置。職員が充実している。
医療対応力	24 時間看護師配置。
介護福祉士率	介護福祉士率が 7 割以上。スキルの高い職員が多い。
リハビリ専門職の配置	理学療法士を 2 名配置。
夜間職員の配置	看護師を含め 6 名の夜間職員。夜間も安心。
看取り能力の高さ	提携医療機関のドクターと連携している。昨年は 18 名の看取りを実施。看取り能力は高い。
情報開示力の高さ	ブログの更新頻度が高く、情報発信を積極的に行っている。

▼ 相談員の評価

施設長の受け入れに対する積極性	施設長が困難事例であっても受け入れに関して積極的に相談に乗ってくれる。
認知症対応力が高い	専門資格を持った職員からサポートを受けることが可能。重度の認知症でも安心。
アクティビティ活動の充実	四季折々のレクリエーションを実施しており、サークル活動も活発に行っている。

※ 2022 年 7 月 1 日の重要事項説明書等によるデータ

有 ドマーニ神戸

兵庫県神戸市垂水区本多聞 3-1-37
☎ 078-787-2600

全253室

【アクセス】JR 神戸線「舞子」駅より神戸市営バス 53 系統「舞子高校前」停
留所下車、徒歩約 5 分
【運営会社】スミリンケアライフ株式会社
【利用料金】多様な料金制度のため詳細は同社 HP にてご確認ください。

介護力、看取り能力、接遇力、認知症対応力に定評があるスミリンケアライフ（株）が 1995 年から運営する第一号のホーム。自立者向けの一般居室から、重度な要介護状態になった場合に移り住む介護居室があり、館内クリニックのドクターと 24 時間常駐の看護師が連携し看取り実績多数。看取りまで安心して暮らせる。「要介護状態になっても一般居室で暮らしたい」というご入居者のリクエストで館内にデイルームも併設。訪問介護、ケアマネセンターも併設し、一般居室向けにも安心の介護を提供。また、住友林業ならではの家づくりに関するノウハウを活かし木の温もり溢れる居室を提供。

兵庫県

神戸市

▼ ハード面の充実

居室の広さ	機能訓練室の有無	グループケアの実施	浴室環境の充実
◎	◎	○	◎

▼ ソフト面の充実

人員配置の充実	要介護者約 1.5 名に対し 1 人の直接処遇職員を配置。職員が充実している。
医療対応力	24 時間看護師配置。
リハビリ専門職の配置	作業療法士 2 名を配置。
夜間職員の配置	夜間は看護師 2 名と介護士 7 名が常駐。夜間も安心の体制を整えている。
看取り能力の高さ	昨年は 20 名以上の看取りを実施。看取り能力は非常に高い。

▼ 相談員の評価

施設長の受け入れに対する積極性	医療対応力・認知症対応力が高いこともあってか、受け入れには積極的。
アクティビティ活動の充実	多彩な療法プログラムで心身の活性化を図る工夫を凝らしている。

※ 2022 年 7 月 1 日の重要事項説明書等によるデータ

🈲 ディアージュ神戸

兵庫県神戸市垂水区学が丘 5-1-4
☎ 0120-567-119

🏫 全275室

【アクセス】JR 神戸線「舞子」駅より山陽バス 53 系統「多聞東小学校前」停留所
下車、徒歩 12 分
【運営会社】JR 西日本プロパティーズ株式会社
【利用料金】多様な料金制度のため詳細は同社 HP にてご確認ください。

神戸市垂水区の高台に立地。淡路島や遠く関西
空港まで見渡せる眺望は抜群。広大な敷地内に
14 階建ての住宅棟（175 戸）と 4 階建ての介護
棟（100 戸）があり、住宅棟は全室南向き。館
内共用スペースは天然温泉大浴場（加温・循環
ろ過）、シアタールーム、フィットネスルーム、
カラオケルーム等関西でトップクラス。要介護
者向けのデイルーム、機能訓練室も備え、中度
の要介護状態までは住宅棟で暮らすことが可能。
機能訓練指導員による個別リハビリも充実。ノー
リフトケアを導入し、安心・安全の介護を実践中。

▼ ハード面の充実

居室の広さ	機能訓練室の有無	グループケアの実施	浴室環境の充実
◎	◎	◎	◎

▼ ソフト面の充実

人員配置の充実	契約上、要介護者 2 名に対し 1 人以上の直接処遇職員配置だが、実際は 1 対 1 の職員配置でたいへん手厚い。
職員定着率が高い	昨年度の離職率は 10％以下と低い。職員の定着率が高い。
医療対応力	24 時間看護師常駐。医療依存度が高い方でも対応可能。
介護福祉士率	介護福祉士率が 8 割強。介護歴が 5 年以上の職員も多数。スキルが高いベテラン職員が多い。
夜間職員の配置	看護師含め 9 名常駐。職員が充実で夜間でも安心。
看取り能力の高さ	昨年は 19 名の看取りを実施。24 時間常駐の看護師と提携するクリニックが連携し、看取り能力は相当高い。

▼ 相談員の評価

職員の接遇態度の良さ	運営会社が職員教育に尽力。介護経験豊富な職員が多い。
施設長の受け入れに対する積極性	施設長は困難事例であっても真摯に相談に乗ってくれる。
認知症対応力が高い	介護状態が同じレベルの人たちで、フロアを分けユニットケアを実現。充実した職員数と経験の豊富さが相まって認知症対応力の良さは評判。
アクティビティ活動の充実	アクティビティケアも積極的に実施。レクリエーションや催しを通じホーム内外のさまざまな人々と交流し生活の活力や気分転換の一助を支援。イベントは、アクティビティスタッフが年間行事計画を作成し、ユニットスタッフと協力し楽しく開催。

※ 2022 年 7 月 1 日の重要事項説明書等によるデータ

㈲ グッドタイム リビング 神戸垂水

 全91室

兵庫県神戸市垂水区名谷町字阿弥陀坊 1941-3
☎ 0120-135-166

【アクセス】JR神戸線「垂水」駅より山陽バス「中山西口」停留所下車、徒歩約4分
【運営会社】グッドタイム リビング株式会社
【利用料金】多様な料金制度のため詳細は同社HPにてご確認ください。

住宅型有料老人ホームとして2006年に開設。自立から要介護の方が入居可能なホーム。2人入居可能な居室も10部屋と多く、広い部屋では70㎡を超えている。1人部屋でも22㎡から27㎡弱とかなり広い居室が特長。ホームの周囲にはかつての外国人居留地が残っており、グッドタイム リビング神戸垂水の館内は異人館をモチーフにした様式の建物となっている。また、雰囲気の漂う落ち着いた環境の中で過ごすことができる。

▼ ハード面の充実

居室の広さ	機能訓練室の有無	グループケアの実施	浴室環境の充実
◎			◎

▼ ソフト面の充実

人員配置の充実	住宅型有料老人ホームでありながら、要介護者2.2名に対し1人の直接処遇職員を配置。
職員定着率が高い	昨年度の離職率は15％以下であり、職員の定着率が高い。
介護福祉士率	介護福祉士率が6割以上。スキルの高い職員が多い。
看取り能力の高さ	看取り数は6名以上。看取り能力は高い。
情報開示力の高さ	ホームのブログは頻繁に更新している。施設のYouTubeチャンネルがあり、より雰囲気が分かる。

▼ 相談員の評価

職員の接遇態度の良さ	「オーダーメイドケア」を意識した接遇サービス・ケアでご入居者の暮らしを支える職員体制が整っている。
アクティビティ活動の充実	毎日4～5つのプログラムを実施。知的好奇心や教養を高める取り組みから趣味の集いまで幅広く対応。

※ 2023年4月1日の重要事項説明書等によるデータ

有 エクセレント神戸

兵庫県神戸市兵庫区菊水町 10-9-18
☎ 078-531-6511

全49室

【アクセス】神戸電鉄「長田」駅より徒歩 7 分
【運営会社】株式会社エクセレントケアシステム
【利用料金】入居一時金なし、月額利用料 190,520 円〜　※詳細は同社 HP を参照

リーズナブルな価格設定ながら、高級感溢れる内装や調度品に加え、受付でのコンシェルジュサービスは高級ホームにも引けを取らないおもてなしを提供。屋上庭園では季節の花や野菜を収穫できご入居者の楽しむ空間として人気。理学療法士による個別リハビリや手厚い介護士の配置によるレクリエーションやサークル活動では、園芸療法、フラダンスなどのアクティビティも充実。グループ内での教育・研修には専門の部署もあり、充実した研修制度を実施し安心できる介護を提供している。

▼ ハード面の充実

居室の広さ	機能訓練室の有無	グループケアの実施	浴室環境の充実
○	◎	○	○

▼ ソフト面の充実

職員定着率が高い	運営会社が職員教育に力を入れているため調査時の離職率はとても低い。
介護福祉士率	グループ内の教育・研修専門部署による研修により、介護福祉士率が約 85％とスキルの高い職員が多い。
看取り能力の高さ	日中のみの看護師配置でありながら、提携の医療機関とうまく連携し看取り実績は多く能力は高い。

▼ 相談員の評価

職員の接遇態度の良さ	法人全体で教育・研修に力を入れており職員の接遇態度は良い。
施設長の受け入れに対する積極性	困難事例でも親身になって相談に乗ってくれる。

※ 2023 年 4 月 1 日の重要事項説明書等によるデータ

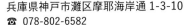

有 エレガーノ摩耶

兵庫県神戸市灘区摩耶海岸通 1-3-10
☎ 078-802-6582

全230室

【アクセス】阪神電鉄「岩屋」駅より徒歩約 10 分
【運営会社】スミリンケアライフ株式会社
【利用料金】多様な料金制度のため詳細は同社 HP にてご確認ください。

最寄り駅から神戸の中心地三宮まで電車で約 4 分の都心立地。神戸らしい海に面したホームで、地元神戸からはもとより遠方から入居する方も多数。自立棟 134 戸、介護棟 96 室。手厚い人員配置、24 時間看護師常駐、館内クリニック併設で看取り能力が高い。職員教育に熱心で施設長以下、職員の接遇の良さは定評がある。隣接するマンション住民との共有施設である「クラブハウス」ではサークル活動等が行われており交流も盛んで充実の設備。自立の方から要支援・要介護すべての方にお勧めのホーム。

▼ ハード面の充実

居室の広さ	機能訓練室の有無	グループケアの実施	浴室環境の充実
◎	◎	○	◎

▼ ソフト面の充実

人員配置の充実	要介護者約 1.5 名に対し 1 人の直接処遇職員を配置。職員が充実している。
医療対応力	24 時間看護師配置。クリニック併設、協力医療機関が近く安心。
リハビリ専門職の配置	理学療法士、作業療法士を 1 名ずつ配置。
夜間職員の配置	夜間は看護師 2 名と介護士 7 名が常駐。夜間も安心の体制をとっている。
看取り能力の高さ	昨年は 20 名以上の看取りを実施。看取り能力は非常に高い。

▼ 相談員の評価

職員の接遇態度の良さ	運営会社が職員の接遇教育に尽力。明るい挨拶が評判の高いホーム。
認知症対応力が高い	認知症の専門教育を受けた職員を配置。ケアド・コモンによる認知症対応力の高い空間づくりを行っている。
アクティビティ活動の充実	コンサートや季節のイベント、外出イベントなどを実施。サークル活動も「クラブハウス」で近隣の住民と活発に行っている。

※ 2022 年 7 月 1 日の重要事項説明書等によるデータ

有 コンフォートヒルズ六甲

兵庫県神戸市灘区篠原北町 3-11-14
☎ 0120-565-650

全169室

【アクセス】阪急神戸線「六甲」駅より徒歩約 15 分
【運営会社】セコムフォートウエスト株式会社
【利用料金】多様な料金制度のため詳細は同社 HP にてご確認ください。

神戸市灘区の高台に立地。眺望や夜景は抜群。セコムのグループ会社が運営。同一敷地内に神戸海星病院があり、急な体調変化や転倒時にもすぐに治療が受けられる安心感がある。老いていくことを不安に感じるのではなく自然に受け入れながら快適に暮らしていくという「コンフォートエイジング」を実践。一流のアートが数多く展示されているエントランス、四季の移ろいを感じるダイニングはご入居者から高い評価を受けている。

▼ ハード面の充実

居室の広さ	機能訓練室の有無	グループケアの実施	浴室環境の充実
◎	◎		◎

▼ ソフト面の充実

人員配置の充実	契約上、要介護者 1.5 名に対し 1 人の直接処遇職員配置だが、実際はそれ以上の人員を配置。
医療対応力	24 時間看護師常駐。同系列の神戸海星病院が隣接。医療対応は非常に高い。
介護福祉士率	介護士に占める介護福祉士取得率が高く、スキルの高い職員がそろう。
リハビリ専門職の配置	理学療法士、作業療法士、言語聴覚士を配置。
看取り能力の高さ	24 時間常駐の看護師や充実した介護士数、隣接する病院との連携により、昨年は 17 名の看取りを実施。看取り能力は相当高い。

▼ 相談員の評価

職員の接遇態度の良さ	専門講師による接遇教育を毎年実施。ご入居者が楽しめるよう館内の装飾等にはこだわっており、接遇能力の高さを感じられる。
施設長の受け入れに対する積極性	施設長は困難事例であっても真摯に相談に乗ってくれる。
認知症対応力が高い	認知症プログラムを自立時から受けることが可能。手厚い人員配置も相まって認知症対応力はかなり高い。
アクティビティ活動の充実	企画運営職員により多様なイベントを実施。「コンサート」「映画鑑賞会」「出張デパート」「日帰りバスツアー」など盛りだくさんのイベントで日々の生活に心豊かさを提供。
個別対応力	経験豊かなシェフと管理栄養士を配置。安全・安心な季節の食材で創意を凝らしたメニューを提供。また、事前に予約することなくその日の気分や体調に合わせ好きなものを選べる。食を通じ心が和み、楽しさを感じるおいしさを提供。

※ 2022 年 7 月 1 日の重要事項説明書等によるデータ

有 グランフォレスト神戸六甲

兵庫県神戸市灘区中郷町 3-3-7
☎ 078-846-1366

🏠 全59室

【アクセス】阪急神戸線「六甲」駅より徒歩15分、JR神戸線「六甲道」駅より徒歩8分
【運営会社】スミリンフィルケア株式会社
【利用料金】多様な料金制度のため詳細は同社HPにてご確認ください。

住友林業グループのスミリンフィルケア(株)が運営するホーム。ホームは木の温もりとこだわりを感じられる内装で、ご入居者が落ち着いた雰囲気の中で生活を送ることが可能。自分らしく暮らすための自立支援を目指し、作業療法士を配置し、ご入居者へ個別リハビリを実施している。自立時から入居が可能で、もし介護が必要になった場合は介護居室への移り住みも可能。看取りも多く、安心して過ごせるホーム。

▼ ハード面の充実

居室の広さ	機能訓練室の有無	グループケアの実施	浴室環境の充実
◎	◎	○	◎

▼ ソフト面の充実

職員定着率が高い	昨年の離職はなし。運営会社が職員を大切にする会社であり定着率は高い。
介護福祉士率	介護福祉士率が7割以上。スキルの高い職員が多い。
リハビリ専門職の配置	作業療法士を配置。個別リハビリを提供。
看取り能力の高さ	昨年は7名の看取りを実施。看護師配置は日中のみだが介護士とうまく連携し看取り実績多。
情報開示力の高さ	ホームの出来事をブログで発信。運営会社が情報発信に力を入れているホーム。

▼ 相談員の評価

職員の接遇態度の良さ	法人全体が職員教育に力を入れており職員の接遇態度は良い。
施設長の受け入れに対する積極性	困難事例でも親身になって相談に乗ってくれる。
アクティビティ活動の充実	イベントを多く開催しており、レクリエーション活動に力を入れている。

※ 2022年7月1日の重要事項説明書等によるデータ

有 トラストグレイス 御影（介護棟）

🏥 👨‍🦯　🏠 全63室

兵庫県神戸市灘区土山町 16-2
☎ 078-856-3375

【アクセス】阪急神戸線「御影」駅よりタクシーで約5分
【運営会社】株式会社ハイメディック
【利用料金】入居一時金 14,870,000 円〜 29,730,000 円、月額利用料 338,040 円
　　　　　　※詳細は同社 HP を参照

神戸の最高級住宅地、御影山手の緑豊かな高
台にそびえるホスピタリティの粋を集めたレ
ジデンス。自立者向け居室は全戸南向きの
218 戸。要介護状態になっても、軽中度の介
護時は館内に併設する訪問介護事業所、デイ
サービスでのサービス利用を受けながら自立
居室での生活を継続できる。重度の要介護か
らターミナルケアまでサービス提供を行う介
護棟も備え、安心を提供している。ダイニン
グや大浴場などの共用施設が充実しているこ
とに加え、敷地の約半分を占める緑地や、日
光にきらめく水盤などがホームに彩りを添え
る。特に機能訓練指導員（理学療法士 3 名）
による個別リハビリが充実している。

※画像はイメージを含みます

▼ ハード面の充実

居室の広さ	機能訓練室の有無	グループケアの実施	浴室環境の充実
◎	◎	○	◎

▼ ソフト面の充実

職員定着率が高い	離職率が低く、職員定着率が高い。
医療対応力	24 時間看護師配置。
介護福祉士率	介護福祉士が 7 割以上。スキルの高い職員が多い。
リハビリ専門職の配置	理学療法士を 3 名配置。個別プログラムでリハビリを実施。
夜間職員の配置	夜間は最低 3 名のスタッフを配置。看護師も常駐で夜間も安心。
看取り能力の高さ	6 名以上の看取りを実施。看取り能力は高い。

▼ 相談員の評価

職員の接遇態度の良さ	運営会社が職員教育に力を入れており、接遇態度の良いホーム。
施設長の受け入れに対する積極性	困難事例であっても積極的に受け入れを行う。
個別対応力	往診医との連携により、医療ケアが必要な方や持病をもつ方も過ごしやすい。

※ 2022 年 7 月 1 日の重要事項説明書等によるデータ

有 グランフォレスト神戸御影

兵庫県神戸市東灘区鴨子ケ原 3-2-43
☎ 078-806-8871

全57室

【アクセス】阪急神戸線「御影」駅より徒歩 20 分、阪急神戸線「御影」駅より
神戸市バス「鴨子ヶ原 2 丁目」停留所下車、徒歩 2 分
【運営会社】スミリンフィルケア株式会社
【利用料金】多様な料金制度のため詳細は同社 HP にてご確認ください。

昨年まで 2 年連続で☆☆を獲得。今年は「看取り能力」が向上したことと、職員離職率 0% を達成し、見事☆☆☆を獲得。もともとリハビリ力とＩＣＴを活用した介護には定評があり、ライフリズムナビを導入し、「質の高い眠り」と「快適な生活環境」を提供するなど、ご入居者の健康管理にも力を入れている。情報開示にも力を入れており、毎日ブログを更新している点も好感が持てる。

▼ ハード面の充実

居室の広さ	機能訓練室の有無	グループケアの実施	浴室環境の充実
○	◎	○	◎

▼ ソフト面の充実

人員配置の充実	要介護者約 1.8 名に対し 1 人の直接処遇職員を配置。職員が充実している。
職員定着率が高い	運営会社が職員教育に力を入れており定着率が非常に高い。
医療対応力	日中は看護師が常駐。協力医療機関と連携し夜間でも安心。
リハビリ専門職の配置	理学療法士を 3 名配置。リハビリに力を入れている。
看取り能力の高さ	昨年は 5 名の看取りを実施。看取り能力は高い。
情報開示力の高さ	ブログの更新頻度が高く、情報発信を積極的に行っている。

▼ 相談員の評価

職員の接遇態度の良さ	法人全体が教育に力を入れており職員の接遇態度は良い。
施設長の受け入れに対する積極性	困難事例でも親身に相談に乗ってくれる。
認知症対応力が高い	ICT を活用したサービス提供等、認知症対応力は高い。

※ 2022 年 7 月 1 日の重要事項説明書等によるデータ

有 グッドタイム リビング 御影

兵庫県神戸市東灘区御影中町 3-2-3
☎ 0120-135-166

全88室

【アクセス】阪神本線「御影」駅より徒歩約2分、または JR 神戸線「住吉」駅より徒歩約 11 分
【運営会社】グッドタイム リビング株式会社
【利用料金】多様な料金制度のため詳細は同社 HP にてご確認ください。

阪神本線「御影」駅よりデッキでつながっており、徒歩約2分と好立地。周辺にはスーパーマーケットや郵便局など、生活に必要な施設はほぼすべてそろっており、利便性にも優れている。自立の方も入居可能であり、非常に便利な環境。職員はご入居者（ゲスト）の「できること」をともに発見しともに喜べるよう接している。アクティビティやイベント等の情報発信も多く、頻繁にブログを更新しています。昨年の☆☆に続き、今年度も☆☆を獲得。

▼ ハード面の充実

居室の広さ	機能訓練室の有無	グループケアの実施	浴室環境の充実
◎			◎

▼ ソフト面の充実

職員定着率が高い	運営会社が職員教育に力を入れており、定着率は高い。
介護福祉士率	介護福祉士率が7割以上。スキルの高い職員が多い。
看取り能力の高さ	昨年は6名以上の看取りを実施。看取り能力は高い。
情報開示力の高さ	ホームのブログは頻繁に更新しており、情報発信に力を入れている。

▼ 相談員の評価

職員の接遇態度の良さ	「オーダーメイドケア」を意識した接遇サービス・ケアでご入居者の暮らしを支える職員体制が整っている。
施設長の受け入れに対する積極性	一人の大切なご入居者であることを常に意識し、困難事例に対しても積極的に受け入れ。
認知症対応力が高い	日々のアクティビティから認知症予防プログラムを受けられる。手厚い職員配置もあり認知症対応力は高い。
アクティビティ活動の充実	毎日4〜5つのプログラムを実施。知的好奇心や教養を高める取り組みから趣味の集いまで幅広く対応。

※ 2022 年 7 月 1 日の重要事項説明書等によるデータ

兵庫県

神戸市

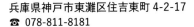 シニアスタイル神戸住吉

兵庫県神戸市東灘区住吉東町 4-2-17
☎ 078-811-8181

全82室

【アクセス】JR 神戸線「住吉」駅より徒歩 5 分
【運営会社】株式会社シニアスタイル
【利用料金】入居一時金 0 円〜 7,800,000 円、月額利用料 244,000 円〜 374,000 円

JR 神戸線「住吉」駅から徒歩 5 分と好立地。リハビリ、医療、認知症対応に強いホーム。理学療法士、作業療法士といったリハビリ専門職員を配置し週に 3 回 30 分の個別リハビリを実施している。生活の中でもリハビリを意識したサポートを実施しており、毎日行うレクリエーションでも心身の機能アップにつながる内容を取り入れている。医療対応力については、24 時間看護師常駐体制をとっており、夜間の胃ろう、たん吸引などにも対応可能と充実。「終の棲家」として、安心した暮らしが実現できるホーム。

▼ ハード面の充実

居室の広さ	機能訓練室の有無	グループケアの実施	浴室環境の充実
○	◎		◎

▼ ソフト面の充実

人員配置の充実	サービス付き高齢者向け住宅でありながら、要介護者 2.5 名に対し 1 人の人員を配置。
医療対応力	24 時間看護師常駐。
介護福祉士率	介護福祉士率が 8 割以上。スキルの高い職員が多い。
リハビリ専門職の配置	理学療法士、作業療法士を配置。個別リハビリを提供。

▼ 相談員の評価

職員の接遇態度の良さ	運営会社が職員教育に力を入れている。接遇態度の良いホーム。
施設長の受け入れに対する積極性	困難事例でも親身に相談に乗ってくれる。
アクティビティ活動の充実	個別リハビリに重点を置いたサービスを提供。機能回復に努めている。
個別対応力	理学療法士・作業療法士が、一人一人に合わせたリハビリを週 3 回 30 分行うほど充実のリハビリ体制。

※ 2023 年 5 月 1 日の重要事項説明書等によるデータ

🈲 エレガーノ甲南

兵庫県神戸市東灘区本山南町 3-3-1
☎ 0120-65-8208

🏠 全206室

【アクセス】阪神本線「青木」駅より徒歩約 9 分
【運営会社】スミリンケアライフ株式会社
【利用料金】多様な料金制度のため詳細は同社 HP にてご確認ください。

神戸市東灘区に立地。JR・阪急・阪神の 3 路線とも徒歩圏内で、スーパーマーケットやスポーツクラブが隣接する都市型立地。元気なうちに入居されホームから通勤する方もいるという。都市型ながら広大な敷地内にあり、共用施設も充実。館内にクリニックや介護棟もあり、看取りまで安心して暮らせる。介護棟は手厚い人員配置、24 時間看護師常駐、機能訓練指導員による個別リハビリの提供と充実。フロントスタッフも含め、職員の接遇力にも定評あり。

▼ ハード面の充実

居室の広さ	機能訓練室の有無	グループケアの実施	浴室環境の充実
◎	◎	○	◎

▼ ソフト面の充実

人員配置の充実	契約上、要介護者 1.5 名に対し 1 人の直接処遇職員を配置だが、実際はそれ以上の人員を配置。
医療対応力	24 時間看護師常駐。ケアセンター 2 階（介護居室）の全居室に酸素中央配管設備を配置。緊急時にも迅速に対応、終末期の方にも適切なケアを提供。
介護福祉士率	介護士に占める介護福祉士取得率が高い。介護職歴が 10 年以上のベテラン職員が多い。
リハビリ専門職の配置	理学療法士、作業療法士を配置。個別リハビリにも対応。
夜間職員の配置	看護師含め 8 名以上配置。職員の充実により夜間でも安心。
看取り能力の高さ	昨年は 14 名の看取りを実施。24 時間看護師常駐と館内併設のクリニックの医師と連携し、看取り能力は相当高い。

▼ 相談員の評価

職員の接遇態度の良さ	運営会社が職員の接遇教育に尽力。業界でも評判の高いホーム。
施設長の受け入れに対する積極性	施設長は困難事例であっても真摯に相談に乗ってくれる。
認知症対応力が高い	大阪市立大学（現・大阪公立大学）と産学間連携協定により生まれた、認知症新型ユニット連携ケア「ケアド・コモン」を実施。五感を刺激し、認知症状の安定化や身体機能活性化を促進。
個別対応力	社会福祉士（国家資格）を保有する生活相談員が、日常生活の細かな悩みから財産管理、葬儀関連の相談や専門家の紹介など、一人一人寄り添いながら幅広く支援。

※ 2022 年 7 月 1 日の重要事項説明書等によるデータ

㉛ そんぽの家S夙川香櫨園

兵庫県西宮市堀切町 5-5
☎ 0798-38-1386

🏠 全104室

【アクセス】阪神本線「香櫨園」駅より徒歩約 7 分
【運営会社】ＳＯＭＰＯケア株式会社
【利用料金】入居一時金なし、月額利用料 178,710 円～

「さくら名所 100 選」にも選ばれた夙川公園にも近く、閑静な住宅街にあるホーム。毎週金曜日に生け花の先生が生け替えるお花はホームの雰囲気を明るくしてくれる。まだ元気なお花はご入居者が自室に持ち帰り、飾ることも。情報発信力も高く、ホームのブログの更新頻度は高い。職員の定着率が高く、チームで密な連携をとりケアを行うことで、ご入居者が住んで良かったと思えるホームを目指している。

▼ ハード面の充実

居室の広さ	機能訓練室の有無	グループケアの実施	浴室環境の充実
◎			◎

▼ ソフト面の充実

職員定着率が高い	昨年度の離職率は 5％以下と職員の定着率が高い。
介護福祉士率	介護士に占める介護福祉士取得率が 80％を超えている。
看取り能力の高さ	24 時間の緊急対応や安否確認、居室の安全装置により看取り実績は多い。
情報開示力の高さ	運営会社が情報発信に力を入れておりホームのブログにて日常の様子を頻繁に更新。

▼ 相談員の評価

施設長の受け入れに対する積極性	困難事例でも一人一人に寄り添い、受け入れを真摯に考える施設長の積極性が評判。

※ 2022 年 10 月 1 日の重要事項説明書等によるデータ

㋚ エレガーノ西宮

兵庫県西宮市津門大塚町 11-58
☎ 0800-100-2438

🏠 全309室

【アクセス】阪急今津線「阪神国道」駅より徒歩約5分、JR神戸線「西宮」駅
　　　　　　より徒歩約13分
【運営会社】スミリンケアライフ株式会社
【利用料金】多様な料金制度のため詳細は同社HPにてご確認ください。

絢爛豪華でリゾートホテルのような建物。2020年に開業したホームは住友林業グループが母体ということもあり、デザインも良く住み心地の良い空間を作り出している。24時間看護師が常駐、また館内には提携の明和病院のサテライトクリニックもあり要介護の方の健康管理や居室への訪問診療も実施。また、要介護の方向けの3つのケアフロアには気軽に外の空気が吸えるテラスを設置し、身体的、精神的にも寄り添った介護を提供している。アクティビティ活動にも積極的でさまざまな療法を用いている。

▼ ハード面の充実

居室の広さ	機能訓練室の有無	グループケアの実施	浴室環境の充実
◎	◎	○	◎

▼ ソフト面の充実

医療対応力	看護師・介護士が夜間でも常駐し、安心の体制。
介護福祉士率	介護士に占める介護福祉士取得率が90%を超えている。
リハビリ専門職の配置	常勤で理学療法士、作業療法士を1名ずつ配置。

▼ 相談員の評価

職員の接遇態度の良さ	運営会社の長年のノウハウの蓄積により職員の接遇は相当良い。
施設長の受け入れに対する積極性	医療依存度の高い方も含め困難事例に対しても積極的に受け入れ。

※ 2023年1月1日の重要事項説明書等によるデータ

有 シニアスタイル西宮北口

兵庫県西宮市大屋町 14-15
☎ 0798-56-8787

全99室

【アクセス】阪急神戸線「西宮北口」駅より徒歩 7 分
【運営会社】株式会社シニアスタイル
【利用料金】入居一時金 7,200,000 円、月額利用料 244,000 円～ 364,000 円

シニアスタイル西宮北口は、阪急神戸線「西宮北口」駅から徒歩圏の至便な立地。99 室 102 名が過ごせる。個別リハビリには機能訓練指導員を 6 名配置し「今、できることを一日でも長く。」の考え方のもと、提供体制もプログラムも充実している。24 時間看護師常駐と、系列クリニックが連携した看取りケアへのこだわりは、地域トップクラス。手厚い介護体制で認知症ケアも安心。サービス品質と家庭的な雰囲気が良いと評判のホーム。

▼ ハード面の充実

居室の広さ	機能訓練室の有無	グループケアの実施	浴室環境の充実
◎	◎	◎	◎

▼ ソフト面の充実

人員配置の充実	契約上要介護者 3 名に対し 1 人の直接処遇職員が必要だが、実際は 2.5 名対 1 人程度と多めに配置。
医療対応力	24 時間看護師常駐。
介護福祉士率	介護福祉士率が 8 割以上。スキルの高い職員が多い。
リハビリ専門職の配置	理学療法士 3 名、作業療法士 3 名を配置。リハビリに力を入れている。
看取り能力の高さ	自社で運営する訪問看護事業所の看護師や介護士、提携医療機関の医師と連携し看取り体制を構築。看取り実績が多い。

▼ 相談員の評価

職員の接遇態度の良さ	運営会社が職員教育に力を入れており、接遇態度の良い施設。
施設長の受け入れに対する積極性	困難事例でも親身に相談に乗ってくれる。
アクティビティ活動の充実	個別リハビリに重点を置いたサービスを提供。機能回復に努めている。
個別対応力	理学療法士、作業療法士が一人一人に合わせたリハビリを週 3 回 30 分行うほど充実のリハビリ体制。

※ 2023 年 6 月 1 日の重要事項説明書等によるデータ

㋚ そんぽの家S宝塚小林

兵庫県宝塚市中野町 9-28
☎ 0797-76-5591

全68室

【アクセス】阪急今津線「小林」駅より徒歩 10 分
【運営会社】ＳＯＭＰＯケア株式会社
【利用料金】入居一時金なし、月額利用料 137,540 円

自立の方から入居可能なサービス付き高齢者向け住宅。阪急今津線「小林」駅から徒歩圏内にあり、近隣にはスーパーなど充実した住環境を実現。入り口には豪華な生け花があり、ご入居者とご家族、職員を出迎えてくれる。生け花を通して日常の四季を感じていただくことが可能。オンラインツアーやアクティビティ活動、趣味活動も活発に行われており、ご入居者にとって大切な「やりたい」と思っている生活を続けることのできるホームとなっている。

▼ ハード面の充実

居室の広さ	機能訓練室の有無	グループケアの実施	浴室環境の充実
◎			◎

▼ ソフト面の充実

職員定着率が高い	昨年度の離職率は 15％以下と職員の定着率が高い。
介護福祉士率	介護福祉士率が 5 割以上。スキルの高い職員が多い。
看取り能力の高さ	昨年も相当数の看取りを行う等看取り能力が高い。終の棲家として安心して暮らせる。

▼ 相談員の評価

職員の接遇態度の良さ	同社は職員に対する接遇教育にたいへん力を入れている。
アクティビティ活動の充実	大型モニターでオンライン旅行、バーチャルツアーができるレクリエーションは人気。

※ 2022 年 7 月 1 日の重要事項説明書等によるデータ

結いホーム宝塚

兵庫県宝塚市弥生町 2-1
☎ 0797-84-1165

全100室

【アクセス】JR 宝塚線「宝塚」駅または阪急今津線「逆瀬川」駅より無料シャトルバス約 15 分
【運営会社】社会福祉法人 聖隷福祉事業団
【利用料金】入居一時金 6,800,000 円、月額利用料 177,000 円もしくは入居一時金なし、月額利用料 292,700 円

運営会社が長年の有料老人ホーム事業で得たノウハウを集結させたホーム。ホーム内は明るく清潔感が溢れる空間。優しい職員が多く、挨拶はいつも明るく案内でも笑顔で丁寧な対応が印象的。ご入居者の「自立」を目指した支援もしており、個々の状態に応じての対応が可能。また、柔らかく温かい泡が出る泡シャワー「KINUAMI U」を導入し、高い保湿効果のある温かい泡が体に吸着するため洗身中に「寒い」の声がなくなり、入浴時も楽しめる工夫がされている。介護事業の実績が多く安心して過ごせるホーム。

▼ ハード面の充実

居室の広さ	機能訓練室の有無	グループケアの実施	浴室環境の充実
◎		○	◎

▼ ソフト面の充実

人員配置の充実	契約上、要介護者 2.5 名に対し 1 人の直接処遇職員配置だが、実際はそれ以上の人員を配置。
職員定着率が高い	運営会社が職員教育に力を入れており、定着率は高い。
介護福祉士率	介護士に占める介護福祉士取得率が高く、スキルの高い職員がそろう。
夜間職員の配置	夜間は介護士 5 名体制で安心。
看取り能力の高さ	看護師配置は日中のみだが、介護士とうまく連携し多数の看取りを実施。看取り能力は高い。
情報開示力の高さ	ホームの出来事を毎月ホームページで発信。運営会社が情報発信に力を入れているホーム。

▼ 相談員の評価

職員の接遇態度の良さ	運営会社が職員教育に力を入れており接遇態度の良さは評判のホーム。
認知症対応力が高い	職員定着率が高いのでご入居者一人一人の状態を把握。充実した職員配置もあり認知症への対応力は整っている。

※ 2022 年 3 月 5 日の重要事項説明書等によるデータ

有 エクセレント花屋敷 ガーデンヒルズ

全87室

兵庫県宝塚市花屋敷荘園 4-1-6
☎ 072-756-1165

【アクセス】阪急宝塚線「川西能勢口」駅より阪急バス「松が丘南」停留所下車、
　　　　　　徒歩 2 分
【運営会社】株式会社エクセレントケアシステム
【利用料金】入居一時金なし、月額利用料 206,121 円～
　　　　　　※詳細は同社 HP を参照

自立の方から要支援・要介護の方まで入居可能なホーム。夫婦の場合は
要介護の方と自立の方であっても入居可能。低価格ながら高級感溢れる
内容・調度品が特徴。介護士が 24 時間常駐しているのはもちろん、看
護師が日中常駐しており、安心の生活環境が整っている。また、理学療
法士を配置しており、ご入居者の状態に応じた個別リハビリを提供して
いる。レクリエーションもたいへん充実しており、イベント活動やサー
クル活動についても盛んに行っている。

▼ ハード面の充実

居室の広さ	機能訓練室の有無	グループケアの実施	浴室環境の充実
○			◎

▼ ソフト面の充実

介護福祉士率	介護福祉士率が 8 割以上。スキルの高い職員が多い。
リハビリ専門職の配置	常勤で理学療法士、非常勤で作業療法士を 1 名ずつ配置。
夜間職員の配置	夜間職員最大 5 名。手厚い配置。
看取り能力の高さ	昨年は 9 名の看取りを実施。看取り能力は高い。

▼ 相談員の評価

職員の接遇態度の良さ	運営会社が職員教育に力を入れていることもあり、接遇態度の良さは評判。
アクティビティ活動の充実	外食レクリエーションなど、レクリエーションが豊富。

※ 2022 年 7 月 1 日の重要事項説明書等によるデータ

㊅ そんぽの家　武庫之荘

兵庫県尼崎市常松 1-22-3
☎ 06-6431-2194

🏠 全48室

【アクセス】阪急神戸線「武庫之荘」駅より尼崎市バス（45、46系統）「武庫
　　　　　営業所」停留所下車、徒歩3分
【運営会社】ＳＯＭＰＯケア株式会社
【利用料金】入居一時金なし、月額利用料 185,880 円

豊富な人材とベテラン職員による安心の介護を実現。そんぽの家では「カ
スタムメイドケア」を実施しており、ご入居者の「これまで」をじっく
りとヒアリングし、「これから」を丁寧にカスタマイズしていくのが特長。
一人一人に合った適切なケアプランを作成し実行することでその人らし
い生活を支える。また、さまざまな介護事業を行っており、その一つが
SOMPO ケアフーズが作る「食事」。食事にはこだわりを持っており、「ま
た食べたい」と思えるほどに好評。

▼ ハード面の充実

居室の広さ	機能訓練室の有無	グループケアの実施	浴室環境の充実
○			○

▼ ソフト面の充実

職員定着率が高い	昨年度の離職率は 20%以下と低め。職員の定着率は高い。
介護福祉士率	介護士に占める介護福祉士取得率が 60%を超えている。
看取り能力の高さ	看護師配置は日中のみだが、往診医や薬局との連携により看取り実績多数。

▼ 相談員の評価

職員の接遇態度の良さ	運営会社が職員教育に力を入れており接遇態度の良さは評判のホーム。
認知症対応力が高い	ホーム一丸となり、認知症の方や要介護度が高い方も居心地の良い環境で暮らせるよう工夫。

※ 2023 年 1 月 1 日の重要事項説明書等によるデータ

シニアスタイル武庫之荘

兵庫県尼崎市水堂町 1-34-4
☎ 06-6431-6601

全60室

【アクセス】JR 神戸線「立花」駅より徒歩 12 分
【運営会社】株式会社シニアスタイル
【利用料金】入居一時金なし、月額利用料 225,000 円

きめ細かい介護サービスとリハビリ専門職による医療機関並みの個別リハビリが特長。2023 年 6 月には同施設の 5 階フロアを要支援の方向けに改築。フロア専用のシャワールームも完備しており、5 階のご入居者は自由に利用可能。バルコニーからは六甲山を眺めることができ、比較的自由な生活を送ることができる。「その人がその人らしい暮らしを実現」できるように、リハビリにより今できることを 1 日でも長く維持できるのを目標にしている。

▼ ハード面の充実

居室の広さ	機能訓練室の有無	グループケアの実施	浴室環境の充実
○	◎	◎	◎

▼ ソフト面の充実

職員定着率が高い	職員離職はほとんどなく、職員定着率が高い。
介護福祉士率	介護福祉士率が 9 割以上。スキルの高い職員が多い。
リハビリ専門職の配置	理学療法士、作業療法士が常駐。専門家によるリハビリを提供。

▼ 相談員の評価

職員の接遇態度の良さ	ご入居者と職員がフレンドリーな関係を構築。明るい雰囲気のホーム。
施設長の受け入れに対する積極性	困難事例でも受け入れに関し積極的に相談に乗ってくれる。
アクティビティ活動の充実	個別リハビリに重点を置いたサービスを提供。機能回復に努めている。
個別対応力	理学療法士・作業療法士が一人一人に合わせたリハビリを週 3 回、30 分行うほど充実のリハビリ体制。

※ 2023 年 6 月 1 日の重要事項説明書等によるデータ

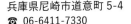 # 有 シニアスタイル尼崎

 全56室

兵庫県尼崎市道意町 5-4
☎ 06-6411-7330

【アクセス】阪神本線「尼崎センタープール前」駅より徒歩3分
【運営会社】株式会社シニアスタイル
【利用料金】入居一時金なし、月額利用料 200,000 円～

阪神本線「尼崎センタープール前」駅より徒歩3分という生活利便性に優れた立地が特長。「介護」「医療」「リハビリテーション」の3つを軸に運営している。「リハビリテーション」については、1回30分・週に3回を目安に実施しており、「生活の質が変わることで気持ちが変わる」をモットーに取り組んでいる。看護師は8時～20時の間常駐しており、それ以外の時間については新設された訪問看護ステーションにて対応している。

▼ ハード面の充実

居室の広さ	機能訓練室の有無	グループケアの実施	浴室環境の充実
○	◎	○	◎

▼ ソフト面の充実

職員定着率が高い	運営会社が職員教育に力を入れており、定着率は高い。
介護福祉士率	介護士に占める介護福祉士取得率が高く、スキルの高い職員がそろう。
リハビリ専門職の配置	理学療法士、作業療法士が常駐。専門家によるリハビリを提供。
看取り能力の高さ	自社で運営する訪問看護事業所の看護師や介護士、提携医療機関の医師と連携し看取り体制を構築。看取り実績が多い。

▼ 相談員の評価

職員の接遇態度の良さ	施設長が直接職員指導を実施。職員の接遇態度は評価が高い。
施設長の受け入れに対する積極性	困難事例でも受け入れに関して積極的に相談に乗ってくれる。
アクティビティ活動の充実	機能訓練に特化した内容や季節ごとに合わせた製作など理学療法士の目線から必要なレクリエーションの提供が可能。
個別対応力	理学療法士・作業療法士が一人一人に合わせたリハビリを週3回30分以上行うためリハビリ体制が充実。

※ 2023 年 5 月 1 日の重要事項説明書等によるデータ

有 グッドタイム リビング 尼崎駅前

全56室

兵庫県尼崎市御園町 27-3
☎ 0120-135-166

兵庫県

尼崎市

【アクセス】阪神本線「尼崎」駅より徒歩約 2 分
【運営会社】グッドタイム リビング株式会社
【利用料金】多様な料金制度のため詳細は同社 HP にてご確認ください。

阪神本線「尼崎」駅から徒歩約 2 分。近隣にはスーパーマーケットやコンビニ、公園などもあり、要介護度が軽度なご入居者（ゲスト）は自由度の高い生活を送ることが可能。「オーダーメイドケア」を意識して運営しており、ご入居者のライフスタイルを尊重している。アクティビティが充実していることも評判で、ご入居者が加入する「グッドタイムクラブ」では、運動系・文化系・音楽系・学習系から選択し、参加することができる。

▼ ハード面の充実

居室の広さ	機能訓練室の有無	グループケアの実施	浴室環境の充実
◎			◎

▼ ソフト面の充実

人員配置の充実	住宅型有料老人ホームでありながら職員を平均以上に配置。
看取り能力の高さ	6 名以上の看取りを実施。看取り能力は高い。

▼ 相談員の評価

職員の接遇態度の良さ	「オーダーメイドケア」を意識した接遇サービス・ケアでご入居者の暮らしを支える職員体制が整っている。
施設長の受け入れに対する積極性	一人の大切なご入居者であることを常に意識し、同社の数あるホームの中でも特に積極的に受け入れ。
認知症対応力が高い	日々のアクティビティから認知症予防プログラムを受けられる。手厚い職員配置もあり認知症対応力は高い。
アクティビティ活動の充実	毎日 4 〜 5 つのプログラムを実施。知的好奇心や教養を高める取り組みから趣味の集いまで幅広く対応。
個別対応力	一人一人の性格や価値観、生活歴を尊重し、可能な限り自由な生活ができるように工夫している。

※ 2023 年 4 月 1 日の重要事項説明書等によるデータ

㈲ グッドタイム リビング 尼崎新都心

🏠 全87室

兵庫県尼崎市潮江 1-3-34
☎ 0120-135-166

【アクセス】JR 神戸線「尼崎」駅より徒歩約 5 分
【運営会社】グッドタイム リビング株式会社
【利用料金】多様な料金制度のため詳細は同社 HP にてご確認ください。

JR 神戸線「尼崎」駅から徒歩約 5 分。近隣には大型商業施設のあまがさきキューズモールと提携医療機関の尼崎新都心病院が隣接している。利便性は非常に優れており、JR「大阪」駅まで電車で 10 分程度の立地であることから、ショッピングや運動を楽しみながら過ごすことができる。2 人部屋も 9 室あり、2 人部屋にはユニットバスやミニキッチンが付いている。グッドタイム リビング(株)は職員の接遇研修にも力を入れており、高いホスピタリティーをもってご入居者（ゲスト）に接している。

▼ ハード面の充実

居室の広さ	機能訓練室の有無	グループケアの実施	浴室環境の充実
◎			◎

▼ ソフト面の充実

人員配置の充実	住宅型有料老人ホームでありながら、要介護者 2.5 名に対し 1 人の直接処遇職員を配置。
職員定着率が高い	昨年度の離職率は 15% 以下と低めであり、職員の定着率が高い。
介護福祉士率	介護福祉士率が 6 割以上。スキルの高い職員が多い。
看取り能力の高さ	昨年は 6 名以上の看取りを実施。看取り能力は高い。
情報開示力の高さ	ホームのブログは頻繁に更新しており、情報発信に力を入れている。

▼ 相談員の評価

職員の接遇態度の良さ	「オーダーメイドケア」を意識した接遇サービス・ケアでご入居者の暮らしを支える職員体制が整っている。
施設長の受け入れに対する積極性	一人の大切なご入居者であることを常に意識し、困難事例に対しても積極的に受け入れ。
アクティビティ活動の充実	イベントだけでなく、ブログや日々の生活など幅広く情報を発信している。

※ 2023 年 4 月 1 日の重要事項説明書等によるデータ

㋚ シニアスタイル東園田

兵庫県尼崎市東園田町 4-137-1
☎ 06-6499-5111

全120室

【アクセス】阪急神戸線「園田」駅より徒歩 7 分
【運営会社】株式会社シニアスタイル
【利用料金】入居一時金なし、月額利用料 242,000 円

同社初となるナーシングホームを併設し、24 時間常駐の看護師体制や認知症専用フロアを設置。7 階建て 120 室と大規模ホームのイメージを持たれることが多いが、フロアごとに特徴があり、一人一人に寄り添ったケアを提供している。6、7 階は看護師 24 時間常駐のナーシングホームフロア、医療依存度の高い人も、病院ではなくホーム（家）で過ごすことができる。5 階は認知症状のあるご入居者が、認知症ケアの視点を持ち合わせた介護士に見守られ、身体と心のケアに配慮され、安心して毎日を過ごせる優しい空間となっている。

▼ ハード面の充実

居室の広さ	機能訓練室の有無	グループケアの実施	浴室環境の充実
○	◎	○	◎

▼ ソフト面の充実

医療対応力	24 時間看護師常駐。
介護福祉士率	介護福祉士率が 7 割以上。スキルの高い職員が多い。
リハビリ専門職の配置	理学療法士 5 名、作業療法士 1 名、言語聴覚士 1 名を配置。リハビリに力を入れている。
看取り能力の高さ	自社で運営する訪問看護事業所の看護師や介護士、提携医療機関の医師と連携し看取り体制を構築。看取り実績が多い。
情報開示力の高さ	ブログの更新頻度が高く、情報発信を積極的に行っている。

▼ 相談員の評価

職員の接遇態度の良さ	ご入居者と職員がフレンドリーな関係を構築。明るい雰囲気のホーム作りを行っている。
施設長の受け入れに対する積極性	困難事例でも受け入れに関し積極的に相談に乗ってくれる。
認知症対応力が高い	施設 5 階が認知症フロアとなっており、専門的な研修を受けた職員が対応。
個別対応力	5 階には認知症フロア、6、7 階にはナーシングホームを併設。さまざまなニーズに応える。

※ 2023 年 5 月 1 日の重要事項説明書等によるデータ

有 そんぽの家 枚方西

大阪府枚方市出口 1-5-50
☎ 072-861-3711

 全49室

【アクセス】京阪本線「光善寺」駅より徒歩20分
【運営会社】SOMPOケア株式会社
【利用料金】入居一時金なし、月額利用料180,460円

レクリエーションがとても充実したホーム。書道教室やドッグセラピー、体操、外食などさまざまなアクティビティを実施している。毎朝10時から行っている体操アクティビティは大勢のご入居者が参加する。介護士、看護師、ケアマネジャー等と情報共有を密に行っており、一人一人に合わせた「オーダーメイドケア」を実施し、ご入居者にとって本当の「我が家」になるよう、温かな気持ちでケアを提供。

▼ ハード面の充実

居室の広さ	機能訓練室の有無	グループケアの実施	浴室環境の充実
○		○	◎

▼ ソフト面の充実

介護福祉士率	介護士に占める介護福祉士取得率が50%を超えている。勤続年数5年以上のスキルの高い職員が多い。
看取り能力の高さ	昨年は12名の看取りを実施。看取り能力は高い。
情報開示力の高さ	情報発信に力を入れておりホームのブログにて日常の様子を頻繁に更新。

▼ 相談員の評価

職員の接遇態度の良さ	運営会社が職員教育に力を入れており接遇態度の良さは評判のホーム。
施設長の受け入れに対する積極性	いつかご入居者の本当の「我が家」になるよう、そんな想いをモットーに丁寧に相談に応じてくれる。
認知症対応力が高い	フロアケアを実施。認知症対応力が高い。
個別対応力	顔なじみの職員、ご入居者と過ごせる安心感は居心地の良い空間を創り上げている。

※ 2022年7月1日の重要事項説明書等によるデータ

有 グッドタイム リビング
香里ヶ丘 −けやき通り−

🏠 全98室

大阪府枚方市香里ケ丘 3-8-52
☎ 0120-135-166

【アクセス】京阪電車「枚方市」駅より京阪バス「藤田川」停留所下車、徒歩約2分、
京阪電車「香里園」駅より京阪バス「香里ケ丘三丁目」停留所下車、
徒歩約3分
【運営会社】グッドタイム リビング株式会社
【利用料金】多様な料金制度のため詳細は同社 HP にてご確認ください。

「けやき通り」は春は若葉が溢れ、秋には紅葉を楽しむことができる。近隣に郵便局やスーパーマーケット、市役所支所、公園などもあり、利便性も良く、自然豊かな落ち着いた雰囲気の中で過ごすことができる。ご入居者(ゲスト)は「オーダーメイドケア」により快適な生活を送っていただける。職員はご入居者の介護・看護支援を行うだけでなく、ご入居者同士をつなぐための手伝いもしている。そのため1階の共用部は多くのご入居者が集まる、皆の憩いの場となっている。

▼ ハード面の充実

居室の広さ	機能訓練室の有無	グループケアの実施	浴室環境の充実
◎			◎

▼ ソフト面の充実

職員定着率が高い	運営会社が職員教育に力をいれており、定着率は高い。
介護福祉士率	介護士に占める介護福祉士取得率が高く、スキルの高い職員がそろう。
看取り能力の高さ	6名以上の看取りを実施。看取り能力は高い。
情報開示力の高さ	施設のブログは頻繁に更新しており、情報発信に力を入れている。

▼ 相談員の評価

職員の接遇態度の良さ	「オーダーメイドケア」を意識した接遇サービス・ケアでご入居者の暮らしを支える職員体制が整っている。
施設長の受け入れに対する積極性	一人の大切なご入居者であることを常に意識し、困難事例に対しても積極的に受け入れ。
認知症対応力が高い	日々のアクティビティから認知症予防プログラムを受けられる。手厚い職員配置もあり認知症対応力は高い。
アクティビティ活動の充実	毎日4〜5つのプログラムを実施。知的好奇心や教養を高める取り組みから趣味の集いまで幅広く対応。

※ 2022 年 7 月 1 日の重要事項説明書等によるデータ

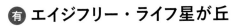 有 エイジフリー・ライフ星が丘

大阪府枚方市印田町 9-60
☎ 0120-714-294

🏠 全54室

【アクセス】京阪本線「星ヶ丘」駅より徒歩約 7 分
【運営会社】パナソニック エイジフリー株式会社
【利用料金】入居一時金 19,929,600 円〜 33,218,880 円、月額利用料 208,110
円〜 588,770 円

3 年連続☆☆☆獲得。サービス内容の良さは折り紙付き。特に機能訓練指導員(理学療法士、作業療法士)が提供するリハビリは特筆もの。終末期まで「自身のことはできるだけ自分で」という考え方のもと、個別リハビリを提供。自身の尊厳を大切にしている方には特にお勧めのホーム。ユニットケアの実施と余裕のある人員配置で認知症対応も高く、24 時間看護師配置により看取り能力も高い。価格的には高級ホームだが、すべてにおいて価格に見合うサービスを提供。

▼ ハード面の充実

居室の広さ	機能訓練室の有無	グループケアの実施	浴室環境の充実
○	◎	◎	◎

▼ ソフト面の充実

人員配置の充実	契約上、要介護者 1.5 名に対し 1 人の直接処遇職員を配置だが、実際はそれ以上の人員を配置。
職員定着率が高い	運営会社が職員教育に力をいれており、定着率は高い。
医療対応力	24 時間看護師配置。医療依存度が高い方でも対応可能。
介護福祉士率	介護福祉士率が 8 割以上。介護職歴の長い職員も多数。スキルの高いベテラン職員が多い。
リハビリ専門職の配置	専門の理学療法士、作業療法士を配置。機能維持だけでなく機能回復も支援。

▼ 相談員の評価

職員の接遇態度の良さ	運営会社が職員教育に尽力。老人ホーム専門家・日本シニア住宅相談員による投票が満票に近い。
施設長の受け入れに対する積極性	医療体制の充実、認知症対応力の高さもあり、施設長は重度の方でも積極的に受け入れ。
認知症対応力が高い	認知症の方も安心いただけるユニットケアを実施。充実した職員数、経験豊富な職員などが相まって認知症対応力の良さは評判。
アクティビティ活動の充実	外部から専門の講師を招き、本格的なアクティビティを実施。茶道、書道、ドッグセラピー、音楽療法など、毎月定期的に開催されるものから、季節を感じる行事まで多数。
個別対応力	リハビリでは個別や集団など、その方にあったやり方で無理なく楽しめるプログラムを実施。また、定期的に身体の状態を測定・撮影して記録。その情報から読み取れる成果や修正点を、ご入居者やご家族と共有し今後のプランに反映している。

※ 2022 年 7 月 1 日の重要事項説明書等によるデータ

有 有料老人ホーム まきの美郷

 全90室

大阪府枚方市牧野北町 11-15
☎ 072-850-9271

【アクセス】京阪電車「牧野」駅より徒歩 10 分
【運営会社】社会福祉法人 美郷会
【利用料金】入居一時金 1,500,000 円、月額利用料 152,000 円

居室にはベッドや洗面台だけでなく、さまざまな家具を置き一人一人が過ごしやすい環境を提供。レクリエーションや体操を行えるほど広い食堂には、牧野の自然豊かな景色が一望できる大きな窓が付いており、食事とともに景色も楽しめる。また、特殊浴槽と個浴型介護浴槽が付いており、一人での入浴が難しい方や車椅子の方でも安心して利用可能。機能訓練室には豊富な設備がそろっており、さまざまなリハビリに対応。毎月のレクリエーションでは館内だけでなく、紅葉を見に行くなど外出のイベントがあり、メリハリがついている。

▼ ハード面の充実

居室の広さ	機能訓練室の有無	グループケアの実施	浴室環境の充実
○	◎		○

▼ ソフト面の充実

職員定着率が高い	昨年度の離職率は 5％以下と低い。職員の定着率が高い。
医療対応力	日中は看護師が常駐しており安心して過ごせる。
介護福祉士率	介護士に占める介護福祉士取得率が高い。
看取り能力の高さ	看護師配置は日中のみだが、介護士とうまく連携し看取り実績多。

▼ 相談員の評価

施設長の受け入れに対する積極性	困難事例であっても懇切丁寧に相談に応じてくれると定評がある。
認知症対応力が高い	特養やグループホームを運営している社会福祉法人が運営。認知症の対応力が高い。
アクティビティ活動の充実	四季折々の行事に加え、ご入居者と一緒におやつ作りや、目の前で調理するイベント食などが好評。

※ 2022 年 7 月 1 日の重要事項説明書等によるデータ

有 有料老人ホーム フィオーレ美杉

  全80室

大阪府枚方市西招提町 1255
☎ 072-864-0108

【アクセス】京阪電車「樟葉」駅より京阪バス「養父ケ丘」停留所下車、徒歩5分
【運営会社】社会医療法人 美杉会
【利用料金】入居一時金 3,000,000 円、月額利用料 175,200 円

枚方市の広々とした土地にあり全居室がゆったりした雰囲気のホーム。ホーム内はバリアフリー設計となっているため、車椅子や杖をついている方などさまざまな状態のご入居者が、動きやすい空間だからこそ活動量も増え介護予防にもつながっている。急な体調の変化などの緊急時には、徒歩1分の距離に協力医療機関の病院が近接しているため、医師と看護師の連携によりすばやく適切な処置が可能。毎日の生活を楽しく快適に過ごせるよう、季節に合ったバリエーション豊富なレクリエーションが充実しておりアクティビティが盛ん。

▼ ハード面の充実

居室の広さ	機能訓練室の有無	グループケアの実施	浴室環境の充実
○	◎		○

▼ ソフト面の充実

職員定着率が高い	昨年度の離職率は5%以下と低い。経験5年以上のベテラン職員が多い。
介護福祉士率	介護福祉士が8割以上とスキルの高い職員が多い。
夜間職員の配置	4名の夜間職員を配置。夜間も十分安心。
看取り能力の高さ	昨年は20名の看取りを実施。看取り能力は相当高い。

▼ 相談員の評価

施設長の受け入れに対する積極性	困難事例でも親身になって相談に乗ってくれる。
認知症対応力が高い	特養やグループホームを運営している社会医療法人が運営。認知症の対応力が高い。
アクティビティ活動の充実	季節色を取り入れた行事や、移動スーパーを実施し、ご入居者の日々の暮らしにアクセントを加えている。

※ 2022 年 7 月 1 日の重要事項説明書等によるデータ

ローズライフくずは

大阪府枚方市楠葉朝日 1-2-5
☎ 072-867-0321

全67室

【アクセス】京阪電車「樟葉」駅よりバス「藤原」停留所下車、徒歩約 2 分
【運営会社】ALSOK ライフサポート株式会社
【利用料金】〈前払いプラン／75 歳以上の場合〉前払金 4,800,000 円〜 7,800,000
円（非課税）、月額利用料 209,720 円（税込）※詳細は同社 HP を
参照

ご入居者の心身の状況や、生活リズム、ライフスタイルをトータルに考え、自己決定と自立支援を大切にしながら、24 時間の看護介護を行うホーム。手厚い人員配置による丁寧な認知症ケアが特徴。「認知症のある方を、『人』として尊重し、その人の立場に立って考える」というケアの基本を大切にし、会社全体で学ぶ姿勢が評価されている。24 時間看護師配置により医療依存度の高い方、困難事例も積極的に受け入れることが可能。看取り能力も高く、看取り実績も多数。全体的に離職率が低く、職員を大切にする会社として知られている。

▼ ハード面の充実

居室の広さ	機能訓練室の有無	グループケアの実施	浴室環境の充実
	◎	○	◎

▼ ソフト面の充実

人員配置の充実	契約上、要介護者 1.5 名に対し 1 人の直接処遇職員を配置だが、実際はそれ以上の人員を配置。
職員定着率が高い	昨年度の離職率は 10％以下と低めであり、職員の定着率が高い。
医療対応力	24 時間看護師常駐。
夜間職員の配置	ご入居者に対し十分な夜間人員体制を整えている。夜間も十分安心。
看取り能力の高さ	昨年は 6 名以上の看取りを実施。看取り能力は高い。

▼ 相談員の評価

施設長の受け入れに対する積極性	「普通のことを普通に大切にしたい」の考えで職員がさまざまな職種と連携し一つのチームとしてサポートする体制が整っている。
認知症対応力が高い	認知症のある方を、『人』として尊重し、その人の立場に立って考えるというケアを実施。
アクティビティ活動の充実	年間行事や季節ごとのイベントを開催。日々のアクティビティで楽しみの場を提供。

※ 2022 年 7 月 1 日の重要事項説明書等によるデータ

㈲ 有料老人ホーム　美華

大阪府枚方市招提北町 2-34-1
☎ 072-864-5713

🏠 全100室

【アクセス】京阪電車「樟葉」駅より京阪バス「南船橋」停留所下車、徒歩 9 分
【運営会社】社会福祉法人 美郷会
【利用料金】入居一時金 2,000,000 円、月額利用料 167,000 円～

田畑豊かな自然を感じられる立地に建つ有料老人ホーム。職員はご入居者一人一人に満足してもらえるよう「優しい介護」「寄り添う介護」をモットーに心のこもったケアを提供。IT 機器を活用した介護も取り入れており、眠りの質をデータ化、分析することによって睡眠の質の改善につなげている。個別リハビリにも対応しており、理学療法士の助言のもと個別機能訓練計画を立て、その内容を基にリハビリを行う。また、認知症対策として YouTube を活用し脳内トレーニングを実施。

▼ ハード面の充実

居室の広さ	機能訓練室の有無	グループケアの実施	浴室環境の充実
○	◎	○	◎

▼ ソフト面の充実

職員定着率が高い	昨年度の離職率は 5％と低い。職員の定着率が高い。
介護福祉士率	介護福祉士が 9 割以上とスキルの高い職員が多い。
看取り能力の高さ	昨年は 27 名の看取りを実施。看取り能力は相当高い。

▼ 相談員の評価

職員の接遇態度の良さ	「優しい介護」「寄り添う介護」をモットーとしており、職員の接遇態度に温かみがある。
施設長の受け入れに対する積極性	施設長は困難事例であっても丁寧に相談に応じてくれる。
認知症対応力が高い	特養やグループホームを運営している社会福祉法人が運営。認知症の対応が高い。
アクティビティ活動の充実	レクリエーションはご入居者からリクエストを募り実施。四季折々の花で季節を感じながらの散歩はご入居者に好評。

※ 2022 年 7 月 1 日の重要事項説明書等によるデータ

フルール長尾

大阪府枚方市藤阪東町 3-5-8
☎ 072-807-5258

全100室

【アクセス】JR 学研都市線「長尾」駅からバスで 5 分、降車後徒歩 3 分
【運営会社】社会福祉法人 美郷会
【利用料金】入居一時金なし、月額利用料 141,200 円

医療法人が母体のホーム。低価格を実現しつつ、日中は看護師が常駐しており、安心して生活できるシステムを構築。自立の方から入居可能で、一部の部屋にはキッチンも完備。設備面も充実している。連携している訪問看護ステーションには、理学療法士、作業療法士、言語聴覚士を配置。リハビリテーションにも力を入れている。徒歩圏内にはスーパーやコンビニ、郵便局、病院等があり便利な住環境となっている。

▼ ハード面の充実

居室の広さ	機能訓練室の有無	グループケアの実施	浴室環境の充実
○		○	◎

▼ ソフト面の充実

職員定着率が高い	職員教育に力を入れており、職員の定着率は高い。
介護福祉士率	介護福祉士が 8 割以上とスキルの高い職員が多い。
リハビリ専門職の配置	訪問看護ステーションに理学療法士、作業療法士、言語聴覚士が在籍。

▼ 相談員の評価

施設長の受け入れに対する積極性	施設長は困難事例であっても丁寧に相談に応じてくれる。
アクティビティ活動の充実	手作業レクリエーションや買い物ツアーなども定期的に開催されており、アクティビティ活動も充実。

※ 2022 年 7 月 1 日の重要事項説明書等によるデータ

有 そんぽの家　交野駅前

大阪府交野市私部 2-5-2
☎ 072-892-3222

全49室

【アクセス】京阪交野線「交野市」駅より徒歩3分
【運営会社】ＳＯＭＰＯケア株式会社
【利用料金】入居一時金なし、月額利用料 183,940円

それぞれの職種が一つのチームとなってケアを提供しているホーム。フロアケアを行うことによりご入居者の「自立支援」と「自分らしさ」を実現するサービスの提供を心掛けている。すべての職員が密に連携しており、職員定着率が非常に高く、ベテラン職員も多い。歌声サロンや体操など、さまざまなレクリエーションや誕生日、敬老の日などのイベント活動なども行っており、アクティビティの充実ぶりも好評。昨年、一昨年の☆に続き、本年も☆を獲得。

▼ ハード面の充実

居室の広さ	機能訓練室の有無	グループケアの実施	浴室環境の充実
		◯	◯

▼ ソフト面の充実

人員配置の充実	契約上、要介護者3名に対し1人の直接処遇職員配置だが、実際はそれ以上の人員を配置。
介護福祉士率	介護士に占める介護福祉士取得率が60％を超えている。勤続年数10年以上のスキルの高い職員が多い。
情報開示力の高さ	運営会社が情報発信に力を入れており施設のブログにて日常の様子を頻繁に更新。

▼ 相談員の評価

職員の接遇態度の良さ	経営理念である「人間尊重」をモットーに職員の接遇教育に注力している。
アクティビティ活動の充実	歌声サロン・体操などの筋力維持アクティビティと外部販売を利用したお買い物など、日々の楽しみを感じられるよう工夫。

※ 2022年7月1日の重要事項説明書等によるデータ

有 そんぽの家　交野

大阪府交野市森北 1-21-7
☎ 072-894-3868

全60室

【アクセス】JR 学研都市線「河内磐船」駅より徒歩 5 分、京阪交野線「河内森」駅より徒歩 10 分
【運営会社】ＳＯＭＰＯケア株式会社
【利用料金】入居一時金なし、月額利用料 182,860 円

JR 学研都市線、京阪交野線ともに駅から徒歩圏内のホーム。公園とスーパーも隣接しており文句なしの立地。ご入居者の思いを最優先にするために職員の教育には力を入れており、高い職員定着率を維持。緩和ケア認定看護師も在籍しており、安心のできる終の棲家として選ぶことができる。たこ焼きパーティーなどさまざまなアクティビティを工夫して実施。ご入居者と職員が笑顔になれるよう心掛け、良いホームを目指している。

▼ ハード面の充実

居室の広さ	機能訓練室の有無	グループケアの実施	浴室環境の充実
		○	◎

▼ ソフト面の充実

職員定着率が高い	昨年度の離職はほとんどなく、離職率は 5% 以下と職員の定着率が高い。
医療対応力	緩和ケア認定看護師を含む看護師が在籍しており、ご入居者の暮らしをサポート。
看取り能力の高さ	昨年は 16 名の看取りを実施。看取り能力は高い。
情報開示力の高さ	運営会社が情報発信に力を入れており施設のブログにて日常の様子を頻繁に更新。

▼ 相談員の評価

施設長の受け入れに対する積極性	ご入居者の想いを最優先にという想いから、受け入れに関し前向きに対応。

※ 2022 年 7 月 1 日の重要事項説明書等によるデータ

(有) ケア・キューブ 高柳

大阪府寝屋川市高柳 3-20-1
☎ 072-815-0078

🏠 全50室

【アクセス】京阪本線「寝屋川市」駅より徒歩 15 分
【運営会社】株式会社メディプラン
【利用料金】入居一時金なし、月額利用料 154,318 円

大通りから少し外れた静かな住宅地。目の前には中学校があり、交流も行っている。デイサービスを併設して体操や機能訓練など、多彩なレクリエーションを実施している。看護師は日中常駐しており、訪問診療、薬局、看護師が密に連携をとることにより、安心の住環境を実現、看取りも積極的に行っている。チームワークで作る介護を実現しており、日々のちょっとした変化にも気づくことができるよう日常から情報共有を徹底している。昨年に続き本年度も☆を獲得。

▼ ハード面の充実

居室の広さ	機能訓練室の有無	グループケアの実施	浴室環境の充実
○	◎	○	◎

▼ ソフト面の充実

人員配置の充実	要介護者 2.4 名に対し 1 人の直接処遇職員配置。
介護福祉士率	介護福祉士率が 7 割以上。スキルの高い職員が多い。
看取り能力の高さ	グループの訪問看護事業所と連携しながら看取りを実施。看取り能力は高い。

▼ 相談員の評価

職員の接遇態度の良さ	職員の接遇態度の良さが評価されているホーム。
施設長の受け入れに対する積極性	困難事例でも積極的に対応。施設長の積極性は評価されている。
認知症対応力が高い	一人一人の職員の観察能力が高いため、認知症対応力も高い。

※ 2022 年 12 月 1 日の重要事項説明書等によるデータ

㈲ パークサイドラビアン

大阪府寝屋川市高柳栄町 8-1
☎ 072-801-0881

🏠 全15室

【アクセス】京阪本線「寝屋川市」駅より徒歩 16 分
【運営会社】株式会社MNTA
【利用料金】入居一時金 150,000 円〜、月額利用料 127,000 円〜　※詳細は同
社 HP を参照

閑静な住宅街に位置し、全 15 室の少人数制を採用している落ち着いた暮らしができるアットホームな環境。低価格だが職員の定着率も高く平均以上の人員を配置しているため、顔なじみの職員による目の行き届いた介護サービスが提供されることにより不安なく、また、大きな病院との協力もさることながら、複数の医療機関との提携により、診療科目が充実しているので、疾患をお持ちの場合でも安心してお過ごしいただけるホーム。

▼ ハード面の充実

居室の広さ	機能訓練室の有無	グループケアの実施	浴室環境の充実
◎			◎

▼ ソフト面の充実

人員配置の充実	低価格なホームでありながら、職員を多く配置。
職員定着率が高い	運営法人は職員教育に力を入れており、職員の定着率は高い。
リハビリ専門職の配置	理学療法士、あん摩マッサージ指圧師、はり師、きゅう師配置。

▼ 相談員の評価

職員の接遇態度の良さ	職員の接遇態度の良さが評価されているホーム。
施設長の受け入れに対する積極性	困難事例でも積極的に対応。施設長の積極性は評価されている。
アクティビティ活動の充実	多彩なレクリエーションを案内することで、シニアライフに彩りをプラスしている。

※ 2023 年 2 月 1 日の重要事項説明書等によるデータ

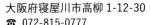 ㈲ ソレイユねやがわ

大阪府寝屋川市高柳 1-12-30
☎ 072-815-0777

🏠 全45室

【アクセス】京阪本線「寝屋川市」駅より徒歩 15 分、京阪バス「東高柳」停留所下車、徒歩 5 分
【運営会社】株式会社メディプラン
【利用料金】入居一時金なし、月額利用料 174,000 円

2004 年に開設したホーム。経験豊富な職員がそろっている。各フロアにリビング兼食堂があり、ユニットケアを実施。職員もフロアごとに配置しており、自宅のようにくつろげる環境と安心感がある。看護師は日中常駐しており、内科・歯科等の訪問診療も行っている。また理学療法士、作業療法士がご入居者の状況を確認し、専門的なリハビリを提供している。居室には介護ベッドやテレビ、チェストなどの家具が備え付けられているので、引っ越しなどの手間を省くことができスムーズに入居が可能。

▼ ハード面の充実

居室の広さ	機能訓練室の有無	グループケアの実施	浴室環境の充実
○		○	◎

▼ ソフト面の充実

人員配置の充実	契約上、要介護者 3 名に対し 1 人の直接処遇職員配置だが、実際はそれ以上の人員を配置。
職員定着率が高い	昨年度の離職はほとんどなく、職員定着率が高い。
介護福祉士率	介護士に占める介護福祉士取得率が高い。

▼ 相談員の評価

職員の接遇態度の良さ	職員の接遇態度の良さが評価されている。
施設長の受け入れに対する積極性	困難事例であっても懇切丁寧に相談に応じてくれる。
認知症対応力が高い	フロアごとに職員が配置されており、見守りも行き届きやすい環境になっている。

※ 2022 年 12 月 1 日の重要事項説明書等によるデータ

有 そんぽの家　寝屋川寿町

大阪府寝屋川市寿町 53-8
☎ 072-833-8730

全49室

【アクセス】京阪本線「香里園」駅より徒歩 10 分
【運営会社】ＳＯＭＰＯケア株式会社
【利用料金】入居一時金なし、月額利用料 191,810 円

一人一人に寄り添った介護を行うために住居環境の整備・福祉用具を活用し、ご入居者が暮らしやすい環境を整えている。そんぽの家　寝屋川寿町では積極的に福祉用具を活用し、ご入居者の安全の確保に努めるとともに職員の腰痛の予防にも役立てている。SOMPO ケアでは毎月子ども食堂を開催。子どもたちと一緒に、おいしい食事とさまざまなレクリエーションを楽しむことができる。レクリエーションはほかにもオンラインでも行っており、ご入居者にはたいへん好評。

▼ ハード面の充実

居室の広さ	機能訓練室の有無	グループケアの実施	浴室環境の充実
		○	◎

▼ ソフト面の充実

職員定着率が高い	運営会社が職員教育に力をいれており、職員定着率は高い。
介護福祉士率	介護福祉士率が 5 割以上。スキルの高い職員が多い。
看取り能力の高さ	昨年は 8 名の看取りを実施。看取り能力は高い。
情報開示力の高さ	情報発信に力を入れており施設のブログにて日常の様子を頻繁に更新。

▼ 相談員の評価

アクティビティ活動の充実	コロナ禍でも楽しめるようオンラインアクティビティを毎日開催するなど工夫。地域の子どもたちとの交流の場も好評。

※ 2022 年 12 月 1 日の重要事項説明書等によるデータ

有 エイジフリー・ライフ香里園

大阪府寝屋川市香里西之町 22-7
☎ 0120-714-294

🏢 全102室

【アクセス】 京阪本線「香里園」駅より徒歩約 15 分
【運営会社】 パナソニック エイジフリー株式会社
【利用料金】 入居一時金 19,401,600 円～ 32,426,880 円、月額利用料 208,110 円～ 580,220 円

「家族との絆を大切にしたい」をテーマに、ご家族とご入居者がともに過ごせる「ファミリールーム」や「シアタールーム」を新たに設置。またリハビリルームも改装。新たなトレーニングマシンを活用した充実の個別リハビリにも注目が集まっている。従来の〝売り〟であるアクティビティも、変わらず高いレベルで実施。専属のアクティビティスタッフがさまざまな企画を提供。安心の 24 時間看護体制で看取り体制も充実。高価格帯だが、それに見合ったサービスが受けられる。

▼ ハード面の充実

居室の広さ	機能訓練室の有無	グループケアの実施	浴室環境の充実
	◎	◎	◎

▼ ソフト面の充実

人員配置の充実	契約上、要介護者 1.5 名に対し 1 人の直接処遇職員配置だが、実際はそれ以上の人員を配置。
医療対応力	24 時間看護師常駐。医療依存度が高い方でも対応可能。
介護福祉士率	介護士に占める介護福祉士取得率が高く、スキルの高い職員がそろう。また、介護職歴が 5 年以上のベテラン職員も多数。
リハビリ専門職の配置	常勤の理学療法士が 1 名、作業療法士が 1 名で対応。個別リハも実施。
夜間職員の配置	看護師含め介護士を 8 名配置。職員が充実しており夜間でも安心。
看取り能力の高さ	昨年は 16 名の看取りを実施。24 時間看護師体制で看取り能力は相当高い。

▼ 相談員の評価

職員の接遇態度の良さ	運営会社が職員教育に尽力。老人ホーム専門家・日本シニア住宅相談員による投票が満票に近い。
施設長の受け入れに対する積極性	医療依存度の高い方の受け入れにも積極的。困難事例でも受け入れに真摯に向き合ってくれる施設長の積極性も評判。
アクティビティ活動の充実	アクティビティ専門の職員による、企画運営で質の高いアクティビティを毎日提供。新しい楽しみを発見しながら「自分らしく」暮らすことができる。
個別対応力	常駐する理学療法士・作業療法士が、日々の身体状況や要望を踏まえ、ご入居者のペースでリハビリを提供。無理なく継続できるプランで身体機能の維持と向上を目指す。

※ 2022 年 12 月 1 日の重要事項説明書等によるデータ

大阪府

寝屋川市

サ ぽぷら
ナーシングホームなりた

全35室

大阪府寝屋川市成田町 10-45
☎ 072-800-8370

【アクセス】京阪本線「香里園」駅より徒歩 17 分
【運営会社】株式会社ぽぷら
【利用料金】入居一時金なし、月額利用料 191,220 円～

株式会社ぽぷらが大阪府寝屋川市で 2020 年にオープンしたナーシング型ホームとして運営しながら寝屋川市では唯一の看護小規模多機能型居宅介護を併設。24 時間、看護師が対応しあらゆる医療ニーズのあるご入居者や自宅で生活されている方への対応が可能。居室も広く、見守りシステムを全居室完備しており、成田山不動尊の袂にたたずむ穏やかな環境で安心して過ごすことができる。

▼ ハード面の充実

居室の広さ	機能訓練室の有無	グループケアの実施	浴室環境の充実
◎		○	◎

▼ ソフト面の充実

職員定着率が高い	職員教育に力を入れており職員定着率の高さを実現。
医療対応力	24 時間看護師対応。
看取り能力の高さ	昨年は 13 名の看取りを実施。看取り能力は高い。

▼ 相談員の評価

職員の接遇態度の良さ	運営会社が職員教育に力を入れており、高い接遇態度を実現。
施設長の受け入れに対する積極性	困難事例であっても積極的に相談に応じてくれる。

※ 2022 年 12 月 1 日の重要事項説明書等によるデータ

(有) 介護付有料老人ホーム ぽぷら

全84室

大阪府寝屋川市三井が丘 1-13-1
☎ 072-831-8383

【アクセス】 京阪本線「香里園」駅より京阪バス「三井団地」停留所下車、徒歩3分
【運営会社】 株式会社ぽぷら
【利用料金】 入居一時金なし、月額利用料 199,740 円

「人によりそう、地域によりそう」をモットーに、地域に根づいたサービスを提供。介護・看護サービスだけでなく、調剤薬局や福祉タクシー事業なども展開している会社。本年度は ICT 関係の導入や各フロアに副リーダーを配置するなど、サービス体制の強化を行うとともに、外出行事やボランティアの方々と交流するなど、安全・快適さと日々の楽しみが評判となっている。ホーム連携も整っており、一人一人に合ったサービスが提供できることも魅力。

▼ ハード面の充実

居室の広さ	機能訓練室の有無	グループケアの実施	浴室環境の充実
○	◎	○	◎

▼ ソフト面の充実

人員配置の充実	契約上要介護者 3 名に対し、1 人の直接処遇職員配置だが、実際はそれ以上の人員を配置。手厚い職員体制で介護・看護を提供。
職員定着率が高い	運営法人は職員教育に力を入れており、定着率の高さを実現。
医療対応力	日中看護師常駐・夜間オンコール対応。24 時間提携医療機関と連携。
介護福祉士率	介護福祉士率が 8 割以上。スキルの高い職員が多い。
リハビリ専門職の配置	理学療法士を配置。集団リハビリなどを実施。
看取り能力の高さ	昨年度 20 名以上の看取りを実施。看取り能力は高い。

▼ 相談員の評価

職員の接遇態度の良さ	職員の介護技術だけでなく、接遇マナー向上への取り組みにも注力。研修や勉強会を積極的に実施。
施設長の受け入れに対する積極性	困難事例であっても積極的に受け入れを行う。
アクティビティ活動の充実	日々のレクリエーションのほか、ホーム全体で取り組むアクティビティも充実。
個別対応力	ご入居者と職員の関係が非常に良好で自分らしい生活を送れる。

※ 2022 年 12 月 1 日の重要事項説明書等によるデータ

㈲ アーバニティ若水

大阪府大東市末広町 15-25
☎ 072-872-3381

🏠 全84室

【アクセス】JR 東西線・学研都市線「住道」駅より徒歩 3 分
【運営会社】株式会社アイネットケアサービス
【利用料金】多様な料金制度のため詳細は同社 HP にてご確認ください。

医療機関が近接していることで専門医師のバックアップ体制が整っており、ご入居者の急変や健康管理に手厚く対応。特定疾患の方をはじめ医療依存度が高い方はもちろんのこと、自立の方も入居可能。また、常駐している理学療法士によりご入居者一人一人に最適なリハビリを提供。「介護予防プログラム」や、日常の中で必要な行動や動作が行えるように「生活リハビリ」などを実施し、幅広いリハビリに対応。職員の定着率が高く、接遇教育にも力を入れておりサービスの品質には定評がある。

▼ ハード面の充実

居室の広さ	機能訓練室の有無	グループケアの実施	浴室環境の充実
◯	◎	◎	◎

▼ ソフト面の充実

職員定着率が高い	アットホームな雰囲気のホーム。職員の定着率が相当高い。
医療対応力	24 時間看護師常駐。
リハビリ専門職の配置	理学療法士が常駐。寝たきりに近い方や退院直後のリハビリ等も、整形外科・リハビリ専門医師の往診により幅広く対応。
看取り能力の高さ	昨年は 18 名の看取りを実施。看取り能力は高い。

▼ 相談員の評価

職員の接遇態度の良さ	職員に対する接遇教育にたいへん力を入れている。接遇態度の良さは評判。
施設長の受け入れに対する積極性	医療体制の充実により、困難事例でも受け入れに関し前向きに対応。
アクティビティ活動の充実	季節に応じた四季折々のイベントを開催。また、買い物や日帰りバスツアーなど、積極的に外出する機会がある。
個別対応力	リハビリ力や医療体制が高く、生活面の補助や緊急の際にも安心できる体制が充実。

※ 2022 年 7 月 1 日の重要事項説明書等によるデータ

有 ツクイ・サンシャイン大東

大阪府大東市南津の辺町 18-11
☎ 072-863-0880

🏠 全56室

【アクセス】JR 学研都市線「野崎」駅より徒歩約 4 分
【運営会社】株式会社ツクイ
【利用料金】入居一時金 0 円〜 9,000,000 円、月額利用料 173,800 円〜 290,200 円

それぞれの「できる」を大切にするホーム。リハビリには理学療法士、言語聴覚士、柔道整復師を配置。ご入居者の体の状態に合わせてプランを立て、定期的に内容を見直し最新のプランを提供。また、食事に関しては施設内厨房に栄養士が常駐。おいしく健康的で家庭的な献立を作成し、毎食作り立ての提供が可能。また、新たに「ノーリフティング」を導入。電動リフトや福祉用具の活用により、人の手を使わないことで職員の腰痛予防に効果的なケアを実施している。3 年連続で☆☆を獲得。

▼ ハード面の充実

居室の広さ	機能訓練室の有無	グループケアの実施	浴室環境の充実
○	◎	◎	◎

▼ ソフト面の充実

人員配置の充実	契約上、要介護者 2.5 名に対し 1 人の直接処遇職員を配置だが、実際はそれ以上の人員を配置。
介護福祉士率	介護士に占める介護福祉士取得率が高く、スキルの高い職員がそろう。
リハビリ専門職の配置	理学療法士、作業療法士、柔道整復師を配置。個別リハビリを提供。
看取り能力の高さ	昨年は 10 名の看取りを実施。看取り能力は高い。

▼ 相談員の評価

施設長の受け入れに対する積極性	施設長は困難事例であっても真摯に相談に乗ってくれる。
認知症対応力が高い	施設一丸となり、認知症の方であっても親身に相談に乗ってくれる。
アクティビティ活動の充実	毎月栄養士、調理師が企画した行事食を提供。アクティビティ活動も充実。
個別対応力	リハビリ専門職を毎日配置し、個別リハビリに取り組んでいる。

※ 2022 年 7 月 1 日の重要事項説明書等によるデータ

大阪府

大東市

㊟ アプリシェイト門真

大阪府門真市新橋町 13-16
☎ 06-6908-3737

🏠 全39室

【アクセス】京阪本線・大阪モノレール「門真市」駅より徒歩 2 分
【運営会社】株式会社ハーベスト
【利用料金】入居一時金なし、月額利用料 99,780 円〜

京阪本線「門真市」駅から徒歩 2 分の好立地。月額利用料も安価で、居室も 20㎡以上とかなり広く、家具の配置などは自由にデザインすることができる。提携医療機関と密に連携しており日中は看護師を配置し、さまざまな医療ニーズの方の受け入れが可能。将来的には 24 時間看護師を配置予定。介護福祉士取得率もかなり高く、運営会社が職員教育に非常に熱心に取り組んでいるのも特長。ICT 導入も進んでおり、ご入居者の情報は独自の介護情報共有システムにより、すばやく職員へ伝達することが可能で、一人一人にあったケアを行っている。

▼ ハード面の充実

居室の広さ	機能訓練室の有無	グループケアの実施	浴室環境の充実
◎			◎

▼ ソフト面の充実

人員配置の充実	サービス付き高齢者向け住宅でありながら、要介護者 1.8 名に対し常勤職員 1 人配置と手厚い人員配置。
職員定着率が高い	運営会社全体が職員教育に力を入れており、職員定着率の高さを実現。
介護福祉士率	介護士に占める介護福祉士取得率が高く、スキルの高い職員がそろう。
看取り能力の高さ	昨年は 6 名以上の看取りを実施。看取り能力は高い。

▼ 相談員の評価

職員の接遇態度の良さ	職員の接遇態度の良さが評価されている。
施設長の受け入れに対する積極性	困難事例であっても積極的に受け入れの相談に乗ってくれる。

※ 2022 年 7 月 1 日の重要事項説明書等によるデータ

㈲ PD ハウス門真

大阪府門真市柳田町 26-23
☎ 06-6916-3003

🏢 全62室

【アクセス】京阪本線「古川橋」駅より徒歩15分
【運営会社】株式会社サンウェルズ
【利用料金】入居一時金なし、月額利用料 166,400 円

2021 年 11 月開設。近くに大型ショッピングモールも建設され、利便性も抜群の地域にある。神経内科専門医が監修したリハビリプログラムを実施しており、ご入居者の QOL 向上につながっている。パーキンソン病に特化したホームとなっており、24 時間看護師が常駐することにより、ご入居者の細かな症状の変化や薬の副作用などの状況にも適切に対応することが可能。

▼ ハード面の充実

居室の広さ	機能訓練室の有無	グループケアの実施	浴室環境の充実
	◎		◎

▼ ソフト面の充実

人員配置の充実	住宅型有料老人ホームでありながら職員を平均以上に配置。
医療対応力	24 時間看護師常駐。
介護福祉士率	介護士に占める介護福祉士取得率が高く、スキルの高い職員がそろう。
リハビリ専門職の配置	理学療法士、作業療法士、言語聴覚士が 2 名以上在籍。

▼ 相談員の評価

職員の接遇態度の良さ	職員の教育に力を入れており、接遇態度の良さは評判。
施設長の受け入れに対する積極性	困難事例であっても積極的に受け入れの相談に乗ってくれる。

※ 2022 年 7 月 1 日の重要事項説明書等によるデータ

㈲ フォーユー門真

大阪府門真市三ツ島 2-8-15
☎ 072-887-7826

全45室

【アクセス】大阪メトロ長堀鶴見緑地線「門真南」駅より徒歩7分
【運営会社】ハートフルM&H株式会社
【利用料金】入居一時金なし、月額利用料 109,800 円〜

地域にある複数の医療機関である認知症・精神科・心療内科のクリニックと協力している。医療対応力が高いので、持病のある方でも安心した生活を送ることができる。自社で訪問介護・看護を同ホームに併設することにより、ホーム内はもちろん、提携医療機関との密な連携による看取り能力の高さもお勧め。開設以来変わらない経験豊富な施設長と定着率の高い職員により、居心地の良い空間を作り上げ、人気のホームとなっている。

▼ ハード面の充実

居室の広さ	機能訓練室の有無	グループケアの実施	浴室環境の充実
			◎

▼ ソフト面の充実

職員定着率が高い	運営法人は職員教育に力を入れており定着率は高い。
介護福祉士率	介護士に占める介護福祉士取得率が高く、スキルの高い職員がそろう。
看取り能力の高さ	昨年は6名以上の看取りを実施。看取り能力は高い。

▼ 相談員の評価

職員の接遇態度の良さ	職員の挨拶の姿勢や明るく丁寧な説明があり、接遇態度の良さは評判。
施設長の受け入れに対する積極性	認知症や医療依存度が高い方でも受け入れに積極的。困難事例でも受け入れに真摯に向き合ってくれる施設長の積極性も評判。
認知症対応力が高い	施設長が認知症対応型グループホームなどの多彩な経験を介護士に共有。認知症に対する対応力は高い。
個別対応力	提携医療機関が多く、ご入居者それぞれに合った医療機関が選択可能。

※ 2022 年 7 月 1 日の重要事項説明書等によるデータ

有 エイジフリー・ライフ大和田

大阪府門真市常称寺町 10-1
☎ 0120-714-294

🏠 全77室

【アクセス】京阪本線「大和田」駅より徒歩約 6 分
【運営会社】パナソニック エイジフリー株式会社
【利用料金】入居一時金 18,821,120 円～ 31,556,160 円、月額利用料 208,110
　　　　　円～ 571,450 円

関西にある 3 施設とも 3 年連続で☆☆☆を獲得したパナソニックのエイジフリー・ライフシリーズの老舗。ほかの介護事業者からの見学も多いホーム。特に看取り能力が高く、開設以来 200 名以上を看取り、昨年も 13 名を看取っている。24 時間看護師配置は当然のこと、経験を積んだ介護士の看取りスキルも高い。介護度・医療依存度が高い方も積極的に受け入れてくれる。開設以来の方針で認知症対応にも力を入れており、手厚い職員配置とユニットケアにより、認知症の方でも安心して暮らせるホーム。

▼ ハード面の充実

居室の広さ	機能訓練室の有無	グループケアの実施	浴室環境の充実
	◎	◎	◎

▼ ソフト面の充実

人員配置の充実	契約上、要介護者 1.5 名に対し 1 人の直接処遇職員を配置だが、実際はそれ以上の人員を配置。
職員定着率が高い	昨年度の離職率は 10% 以下と低い。職員の定着率が高い。
医療対応力	24 時間看護師常駐。医療依存度が高い方でも対応可能。
介護福祉士率	介護福祉士率が 8 割強。介護経験が豊富な職員も多数。スキルの高いベテラン職員が多い。
リハビリ専門職の配置	作業療法士を配置。個別リハビリを実施。

▼ 相談員の評価

職員の接遇態度の良さ	運営会社が職員教育に尽力。老人ホーム専門家・日本シニア住宅相談員による投票が満票に近い。
施設長の受け入れに対する積極性	24 時間看護師体制と連携する協力医療体制により、医療依存度が高い方でも積極的に受け入れが可能。
認知症対応力が高い	開設当初からユニットケアを実施。手厚い介護・看護体制などが相まって認知症対応力の良さは評判。
アクティビティ活動の充実	身体のサポートだけではなく、毎日の生活を豊かにサポートできるよう、豊富なアクティビティなどを提供。
個別対応力	介護士・看護師のほかにも業務ごとに専任の職員を配置。それぞれの視点を持ち寄り、連携したチームケアでご入居者一人一人ふれあいを大切にし、日々の生活を支援。

※ 2022 年 7 月 1 日の重要事項説明書等によるデータ

大阪府
門真市

有 そんぽの家　守口南

大阪府守口市南寺方中通 1-7-27
☎ 0120-37-1865

🏠 全50室

【アクセス】大阪メトロ今里筋線「清水」駅より徒歩約 10 分
【運営会社】ＳＯＭＰＯケア株式会社
【利用料金】入居一時金なし、月額利用料 179,990 円〜

往診医がいる医療機関が隣接しており、安心した環境で過ごせるホーム。周辺は住宅街のため、車の交通量も少なく静かな環境が特徴。週に 2 回の移動スーパーではご近所の方もお買い物に来られ、自然に地域とのつながりもできる。「塗り絵サークル」「フラワーアレンジメント」「体操」「オンラインアクティビティ」などのアクティビティも人気があり、くすのき広域連合カラコロ体操教室も再開され、地域の方々との交流も盛んな笑顔の絶えないホーム。

▼ ハード面の充実

居室の広さ	機能訓練室の有無	グループケアの実施	浴室環境の充実
○		○	◎

▼ ソフト面の充実

人員配置の充実	契約上要介護者 3 名に対し 1 人の人員配置だが、実際はそれ以上の人員を配置。
介護福祉士率	介護福祉士が 5 割以上。スキルの高い職員が多い。
看取り能力の高さ	隣接している医療機関とも連携し看取り実績が高い。

▼ 相談員の評価

施設長の受け入れに対する積極性	困難事例でも親身になって相談に乗ってくれる。
認知症対応力が高い	運営会社が認知症教育に力を入れており認知症対応力が高い。
アクティビティ活動の充実	たくさんのニーズに応えられるよう、数多くのイベントを取りそろえている。

※ 2023 年 4 月 1 日の重要事項説明書等によるデータ

有 介護付有料老人ホーム さつき

🏠 全50室

大阪府守口市菊水通 4-11-5
☎ 06-6995-6732

【アクセス】京阪本線「西三荘」駅より徒歩 20 分
【運営会社】けいはん医療生活協同組合
【利用料金】入居一時金なし、月額利用料 122,000 円〜

医療生活協同組合が運営しているので、病院や診療所とは密に連携が取れている介護付有料老人ホームさつき。職員定着率が高く、ベテランの職員が多く在籍している。日中には看護師が常駐しており、夜間は介護士が 3 名体制なので、安心して過ごすことができる。低価格を実現しながら、介護・看護体制を整えられているため安心な施設。

▼ ハード面の充実

居室の広さ	機能訓練室の有無	グループケアの実施	浴室環境の充実
○	◎	◎	◎

▼ ソフト面の充実

職員定着率が高い	運営会社が職員教育に力を入れており定着率は高い。
介護福祉士率	介護士に占める介護福祉士取得率が高く、スキルの高い職員がそろう。
夜間職員の配置	夜間は 3 名の介護士が常駐。
看取り能力の高さ	昨年は 8 名の看取りを実施。看取り能力は高い。

▼ 相談員の評価

職員の接遇態度の良さ	運営会社が職員教育に力を入れていることもあり、接遇態度の良さは評判。

※ 2023 年 1 月 1 日の重要事項説明書等によるデータ

㈲ ラ・ソーラ街の杜 ＊もりぐち

🏠 全95室

大阪府守口市佐太中町 2-9-2
☎ 06-6916-0864

【アクセス】大阪メトロ谷町線・大阪モノレール「大日」駅より徒歩 15 分
【運営会社】医療法人 神明会
【利用料金】入居一時金なし、月額利用料 148,300 円〜

医療法人を母体として大阪府下で数多くの有料老人ホームを展開しているホームの一つ。同法人での老人保健施設運営等で得てきた経験と知識を集結して作られたのが「ラ・ソーラ街の杜＊もりぐち」。「こんなホームだったらいいのに」を、サービス面と施設面両方から実現。医療法人ならではの医療・看護・介護・リハビリ等の手厚いサービスを実施しており、安全と安心を感じながら生活できる。昨年度に引き続き☆を獲得。

▼ ハード面の充実

居室の広さ	機能訓練室の有無	グループケアの実施	浴室環境の充実
○	○	○	○

▼ ソフト面の充実

リハビリ専門職の配置	理学療法士、作業療法士を配置。
看取り能力の高さ	昨年は 21 名の看取りを実施。看取り能力は高い。

▼ 相談員の評価

職員の接遇態度の良さ	職員は丁寧な対応で評判のホーム。
施設長の受け入れに対する積極性	困難事例であっても親身に相談に乗ってくれる。
アクティビティ活動の充実	レクリエーションは週6日実施。リハビリ力も高くアクティビティが充実。

※ 2023 年 1 月 1 日の重要事項説明書等によるデータ

有 グリーンライフ守口

大阪府守口市佐太中町 6-17-34
☎ 06-6901-1151

 全155室

【アクセス】大阪メトロ谷町線・大阪モノレール「大日」駅より京阪バス「金田」
　　　　　　停留所下車、徒歩 1 分
【運営会社】グリーンライフ株式会社
【利用料金】入居一時金なし、月額利用料 230,400 円〜

ホームの開設は 2008 年。2016 年 8 月に機能訓練室を開設し、理学療法士による個別リハビリを実施。イベントやアクティビティも充実しており、毎朝のラジオ体操やリハビリヨガの導入などを行っている。週替わりでイベントやアクティビティを企画しており、楽しむ生活を大切にしている。病院と連携し、安心できる体制を整えている。ブログを頻繁に更新しており、情報発信にも積極的な施設。

▼ ハード面の充実

居室の広さ	機能訓練室の有無	グループケアの実施	浴室環境の充実
◎	◎	○	◎

▼ ソフト面の充実

リハビリ専門職の配置	専属の理学療法士を配置。理学療法士による個別のリハビリプログラムで機能回復を支える。
看取り能力の高さ	ご夫婦で入居可能な居室もあり、最期を夫婦（ご家族）で過ごすことも可能。
情報開示力の高さ	ホームの出来事を毎月ホームページで発信。運営会社が情報発信に力を入れているホーム。

▼ 相談員の評価

職員の接遇態度の良さ	コロナ禍で面会の機会が減少する中、職員が自ら工夫してケアを実施。職員のご入居者を想う姿勢は接遇態度の良さで表現されている。
施設長の受け入れに対する積極性	医療依存度の高い方の受け入れにも積極的。困難事例でも真摯に向き合ってくれる。
認知症対応力が高い	運営会社であるグリーンライフは認知症ケアで業界内でも評価されている。
個別対応力	リハビリに重点を置いていることもあり、ホームのアルバムには日々のリハビリや体操の様子が更新されている。

※ 2022 年 7 月 1 日の重要事項説明書等によるデータ

㈲ 癒しの高槻館

大阪府高槻市八丁西町 3-19
☎ 072-686-6517

全87室

【アクセス】阪急京都線「高槻市」駅より徒歩約 6 分
【運営会社】株式会社リエイ
【利用料金】入居一時金 2,850,000 円〜 14,400,000 円、月額利用料 188,950 円〜

ご入居者一人一人の尊厳や意思を尊重し、安心と快適な生活をお護りすることを「快護」と銘打ち、施設を運営。2 駅利用可能な立地にあり、アクセスは抜群。屋上庭園からは摂津の山並みを一望でき、独自のリラクゼーションサービスのロイヤルセラピーを受けることが可能。基本理念として、癒しと食のおもてなしのサービスを掲げており、日々の食事と生活のなかで感じるさまざまな癒しをご入居者へ提供している。

▼ ハード面の充実

居室の広さ	機能訓練室の有無	グループケアの実施	浴室環境の充実
	◎	○	◎

▼ ソフト面の充実

人員配置の充実	要介護者 1.5 名に対し常勤職員 1 人を配置。手厚い職員配置。
夜間職員の配置	夜間職員を 5 名配置で安心。
看取り能力の高さ	看護師配置は日中のみだが、介護士とうまく連携し看取り実績多数。看取り能力は高い。

▼ 相談員の評価

職員の接遇態度の良さ	運営会社が教育に力を入れており、職員の接遇態度の良さは評判。
施設長の受け入れに対する積極性	困難事例でも親身に相談に乗ってくれる。
アクティビティ活動の充実	癒しやリラクゼーションを念頭においたアクティビティ活動を実施。

※ 2022 年 11 月 1 日の重要事項説明書等によるデータ

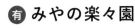

有 みやの楽々園

大阪府高槻市宮野町 7-1
☎ 072-671-2290

🏠 全100室

【アクセス】 阪急京都線「高槻市」駅より高槻市営バス「天王町」停留所下車、徒歩 5 分
【運営会社】 株式会社 光真
【利用料金】 多様な料金制度のため詳細は同社 HP にてご確認ください。

閑静な住宅街にあるホーム。敷地内には「楽々園クリニック」が併設されており、診察はもちろん、医療相談も実施している。経営母体となる東和会グループが運営している「第一東和会病院」へは施設から徒歩 3 分と好立地、受診送迎も実施している。質の高い介護を提供するために、同社では大阪府認知介護指導者を配置するとともに、介護技術研修や認知症ケアへの取り組み等を行っている。併設されている「愛光認定こども園」とは日常的に交流を行っており、元気な園児の姿も目にできる。

▼ ハード面の充実

居室の広さ	機能訓練室の有無	グループケアの実施	浴室環境の充実
◎		○	◎

▼ ソフト面の充実

人員配置の充実	契約上、要介護者 3 名に対し 1 人の直接処遇職員配置だが、実際はそれ以上の人員を配置。
介護福祉士率	介護福祉士率が 5 割以上。スキルの高い職員が多い。
リハビリ専門職の配置	理学療法士、言語聴覚士を配置。
看取り能力の高さ	昨年は 14 名以上の看取りを実施。看取り能力は高い。

▼ 相談員の評価

職員の接遇態度の良さ	職員の教育に力を入れており接遇態度の良さは評判。
認知症対応力が高い	ホーム一丸となり、認知症の方であっても親身に相談に乗ってくれる。

※ 2022 年 10 月 31 日の重要事項説明書等によるデータ

サ パリアティブケアホーム ゆきの彩都

全38室

大阪府茨木市彩都あさぎ 5-10-10
☎ 072-640-5960

【アクセス】大阪モノレール彩都線「彩都西」駅より徒歩 14 分
【運営会社】opsol 株式会社
【利用料金】入居一時金なし、月額利用料 98,700 円〜

低価格帯でありながら医療依存度・介護度が高めの方にも対応しているホーム。パリアティブケアを独自に実施。がんなど重い病気やターミナル期を迎えた方が、医療的、介護的、精神的にも安心した生活を過ごせるよう、あらゆる視点でサポートを提供。併設している訪問看護ステーションには 24 時間看護師が常駐しており、常時医療機器を必要とする方も安心して過ごせる。栄養士が作成した献立に基づき、旬の食材を用いて、ホーム内の厨房で専門の調理スタッフが毎食手作りをしており、できたてを味わえる。また、嚥下状態や咀嚼状態に合わせて、刻み食やミキサー食にも対応可能。

▼ ハード面の充実

居室の広さ	機能訓練室の有無	グループケアの実施	浴室環境の充実
○			◎

▼ ソフト面の充実

人員配置の充実	サービス付き高齢者向け住宅でありながら、要介護者 2.5 名に対し常勤職員 1 人配置と手厚い人員配置。
医療対応力	24 時間看護師常駐。
介護福祉士率	介護福祉士が 9 割以上とスキルの高い職員が多い。
看取り能力の高さ	昨年は 27 名の看取りを実施。看取り能力は相当高い。

▼ 相談員の評価

施設長の受け入れに対する積極性	さまざまな病気・症状を抱えたご入居者に対して、専門的なケア・ターミナルケアを行ってきた実績を基に、積極的に対応してくれる。
認知症対応力が高い	豊富な知識と技術を有した介護士が生活の質を高めるためのサポートを行っているため、認知症対応力が高い。
個別対応力	できる限りご入居者一人一人の意思や環境を尊重した生活を送れるよう支援されているホーム。

※ 2022 年 8 月 1 日の重要事項説明書等によるデータ

フォーユー彩都

大阪府茨木市彩都あさぎ 5-12-10
☎ 072-641-8677

全47室

【アクセス】大阪モノレール彩都線「彩都西」駅より徒歩15分
【運営会社】株式会社日健マネジメント
【利用料金】入居一時金なし、月額利用料 145,900 円〜

2017年10月にオープン。茨木市の自然豊かで閑静な住宅街にある、アットホームな雰囲気が漂う明るいホーム。レクリエーションなどにも力を入れており、毎月第1水曜日は音楽療法も実施している。彩都菜園ではさまざまな種類の野菜などを育てており、ご入居者も菜園の世話をしている。もともと住宅メーカーであった同社の強みを活かし、施設内にさまざまな工夫をしており、ご入居者が過ごしやすい環境を整えている。職員の接遇態度の良さと施設長の受け入れの積極性も評価されているホーム。

▼ ハード面の充実

居室の広さ	機能訓練室の有無	グループケアの実施	浴室環境の充実
○			◎

▼ ソフト面の充実

人員配置の充実	契約上、要介護者3名に対し1人の直接処遇職員配置だが、実際はそれ以上の人員を配置。
職員定着率が高い	昨年は職員離職がなく定着率が高い。
介護福祉士率	介護福祉士取得率が5割以上と高め。スキルの高い職員が多い。

▼ 相談員の評価

職員の接遇態度の良さ	運営会社が職員教育に力を入れており、接遇態度の良さが評判のホーム。
施設長の受け入れに対する積極性	困難事例であっても親身に相談に乗ってくれる。
アクティビティ活動の充実	レクリエーションにも力を入れており、アクティビティ活動も充実。

※ 2022年7月1日の重要事項説明書等によるデータ

大阪府

茨木市

有 Charm（チャーム）南いばらき 💰

大阪府茨木市東奈良 3-16-16
☎ 072-634-7178

🏠 全43室

【アクセス】阪急京都線「南茨木」駅より徒歩 4 分、大阪モノレール「南茨木」
駅より徒歩 5 分
【運営会社】株式会社チャーム・ケア・コーポレーション
【利用料金】前払金 786,000 円、月額利用料 191,000 円

阪急京都線「南茨木」駅より徒歩約 4 分。春には桜通りの遊歩道一面に桜が咲き、お散歩には最適。各フロアには食堂兼機能訓練室があり、移動距離が少なく、ご入居者の負担軽減が図られている。また、ICT 化を積極的に進めており、職員間の情報共有をスムーズに行い、ご入居者の状態をすぐに全職員が確認可能。ご入居者と職員の距離感が近く、アットホームな雰囲気の中で生活することができる。今年度初めて☆を獲得。

▼ ハード面の充実

居室の広さ	機能訓練室の有無	グループケアの実施	浴室環境の充実
○		○	◎

▼ ソフト面の充実

看取り能力の高さ	昨年は 7 名の看取りを実施。看取り能力は高い。
情報開示力の高さ	ホームの出来事を毎月ホームページで発信。運営会社が情報発信に力を入れているホーム。

▼ 相談員の評価

職員の接遇態度の良さ	運営会社が職員教育に力を入れていることもあり、接遇態度の良さは評判。
施設長の受け入れに対する積極性	困難事例でも受け入れに関し積極的に相談に乗り、個別のサービスについても親身に対応してくれる。
認知症対応力が高い	ホーム一丸となり、認知症の方であっても親身に相談に乗ってくれる。

※ 2022 年 9 月 1 日の重要事項説明書等によるデータ

大阪府

茨木市

有 そんぽの家　茨木東奈良

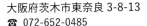

大阪府茨木市東奈良 3-8-13
☎ 072-652-0485

全60室

【アクセス】阪急京都線「南茨木」駅・大阪モノレール「南茨木」駅より徒歩
　　　　　　約5分
【運営会社】SOMPOケア株式会社
【利用料金】入居一時金なし、月額利用料 189,920 円

阪急京都線「南茨木」駅から徒歩圏内の閑静な住宅街にあるそんぽの家
茨木東奈良。若年層の職員を積極的に採用し、ホームの雰囲気もとても
明るい。上司や部下という垣根を越えて、全職員がホームをより良くして
いこうと活発に意見交換を行っており、ご入居者が過ごしやすい環境を
整えている。アクティビティ活動にも力を入れており、オンラインイベン
トを頻繁に開催。オンラインで子どもたちとふれあう企画や職員が定期的
に「昭和弾き語りショー」を行うなど、アクティビティ活動が充実している。

▼ ハード面の充実

居室の広さ	機能訓練室の有無	グループケアの実施	浴室環境の充実
	◎	○	◎

▼ ソフト面の充実

介護福祉士率	介護士に占める介護福祉士取得率が高い。経験5年以上のスキルの高い職員が多い。
看取り能力の高さ	昨年は16名の看取りを実施。看取り能力は高い。
情報開示力の高さ	情報発信に力を入れておりホームのブログにて日常の様子を頻繁に更新。

▼ 相談員の評価

施設長の受け入れに対する積極性	高い専門性と豊かな心の態度（介護プライド）をもって親身に相談に乗ってくれる。
認知症対応力が高い	ご入居者の様子を確認することやコミュニケーションの時間を大切にしてサービス提供を行っている。

※ 2022 年 7 月 1 日の重要事項説明書等によるデータ

⟨サ⟩ ロイヤルホーム茨木

大阪府茨木市西田中町 3-31
☎ 072-627-2700

 全47室

大阪府

茨木市

【アクセス】JR京都線「茨木」駅よりバスで6分、「春日四丁目」停留所下車、
　　　　　　徒歩3分
【運営会社】有限会社ハートフルケア
【利用料金】入居一時金なし、月額利用料 111,000 円〜 182,000 円

ホーム周辺はスーパーやコンビニ、薬局など日常生活に便利な環境があり、周辺には緑地や公園などの四季折々が感じられる。各階にはテーマがあり「大地」「草」「花」「空」とテーマに沿った色合い・雰囲気が演出されており、ゆったりとしたリビング・ダイニングはご入居者の交流の場となっている。同ホームでは、ご夫婦部屋が6室もありサービス面でも居心地の良い空間が創り出され、常に入居待ち状態が続いている大人気のホーム。

▼ ハード面の充実

居室の広さ	機能訓練室の有無	グループケアの実施	浴室環境の充実
○	◎	○	◎

▼ ソフト面の充実

職員定着率が高い	職員の定着率がとても高く、アットホームな雰囲気。
介護福祉士率	介護福祉士が8割以上とスキルの高い職員が多い。
情報開示力の高さ	ホームの出来事を毎月ホームページで発信。運営会社が情報発信に力を入れているホーム。

▼ 相談員の評価

職員の接遇態度の良さ	運営会社が職員教育に力を入れていることもあり、接遇態度の良さは評判。
アクティビティ活動の充実	リハビリやレクリエーション等アクティビティ活動が充実。
個別対応力	ご入居者やご家族からの要望にもしっかりと対応し、入居待ち状態が続く評判のホーム。

※ 2022年7月1日の重要事項説明書等によるデータ

有 そんぽの家　茨木島

大阪府茨木市島 4-8-8
☎ 072-634-1744

🏠 全45室

【アクセス】大阪モノレール「沢良宜」駅より徒歩約13分
【運営会社】ＳＯＭＰＯケア株式会社
【利用料金】入居一時金なし、月額利用料 201,920 円

介護士・看護師をはじめ、生活相談員、ケアマネジャー等、ご入居者に関わるすべての職員で情報共有を行い、優れたチームワークにより、入居後も安心した生活を送ることができる。「楽しい時間を大切に」とアクティビティでは、音楽に合わせて体を動かす介護予防ダンスに歌の会や、月に1度の押し花教室はたいへん人気。ご入居者のお誕生日には、メッセージカードや似顔絵がプレゼントされ、皆様嬉しそうにお部屋に飾っている。

▼ ハード面の充実

居室の広さ	機能訓練室の有無	グループケアの実施	浴室環境の充実
◎			◎

▼ ソフト面の充実

人員配置の充実	契約上要介護者3名に対し1人の人員配置だが、実際はそれ以上の人員を配置。
介護福祉士率	介護福祉士率が5割以上。スキルの高い職員がそろう。
看取り能力の高さ	看護師配置は日中のみだが、地域の訪問診療の医師・看護師との連携により看取り実績多。看取り能力は高い。
情報開示力の高さ	運営会社が情報発信に力を入れておりホームのブログを頻繁に更新。

▼ 相談員の評価

認知症対応力が高い	運営会社が認知症ケアに力を入れており認知症対応力が高い。

※ 2022年7月1日の重要事項説明書等によるデータ

有 プレザンメゾン茨木

大阪府茨木市水尾 1-14-5
☎ 072-630-3521

🏠 全45室

【アクセス】阪急京都線「茨木市」駅より徒歩約 14 分
【運営会社】株式会社ケア 21
【利用料金】入居一時金なし、月額利用料 185,660 円〜

通りから一本入った緑豊かな茨木市南部に位置し静かな地域に建つ、2006 年にオープンしたホーム。地域交流やレクリエーションにも力を入れており、出張喫茶やアロマトリートメント、歌体操なども行っている。介護福祉士取得率が 80％を超えており、安心・安全な第二の我が家として「ここで良かった」と思えるよう職員も家族の一員として温かいホームを作っていて、最期のひと時まで過ごせる。

▼ ハード面の充実

居室の広さ	機能訓練室の有無	グループケアの実施	浴室環境の充実
◯		◯	◎

▼ ソフト面の充実

人員配置の充実	契約上、要介護者 2.5 名に対し 1 人の直接処遇職員配置だが、実際はそれ以上の人員を配置。
職員定着率が高い	昨年度の離職率は 5％以下と低い。職員の定着率が高い。
介護福祉士率	介護士に占める介護福祉士取得率が高い。

▼ 相談員の評価

職員の接遇態度の良さ	ホームの特長でもある通り、接遇態度の良さは評判。
施設長の受け入れに対する積極性	施設長は困難事例であっても丁寧に相談に応じてくれる。

※ 2022 年 7 月 1 日の重要事項説明書等によるデータ

有 グリーンライフ茨木若園

★★

大阪府茨木市若園町 28-17
☎ 072-652-0717

🏠 全43室

【アクセス】阪急京都線「茨木市」駅より近鉄バス【83】【84】系にて「若園公園前」停留所下車、徒歩5分
【運営会社】グリーンライフ株式会社
【利用料金】入居一時金なし、月額利用料 258,820 円～

大阪府

茨木市

近くには公園があり、閑静な住宅街にあるホーム。スーパーマーケットやコンビニなども徒歩圏内にあり、生活利便性は高い。基本的には要支援以上の方が入居の対象ではあるが、自立の方の入居も相談に応じている。日中は看護師が常駐しており、胃ろう、インスリン、ストーマ、人工透析、パーキンソン病などの医療対応が必要な方でも入居が可能。優しさに溢れたホームを目指しており、ご入居者の笑顔が絶えない毎日をお手伝いする温かい我が家のような生活空間を作っている。

▼ ハード面の充実

居室の広さ	機能訓練室の有無	グループケアの実施	浴室環境の充実
○		○	◎

▼ ソフト面の充実

人員配置の充実	契約上、要介護者 2.5 名に対し 1 人の直接処遇職員配置だが、実際はそれ以上の人員を配置。
職員定着率が高い	昨年度の離職率は 5% 以下と低い。職員の定着率が高い。
夜間職員の配置	夜間は 3 名の介護士が常駐。
看取り能力の高さ	昨年は 8 名の看取りを実施。看取り能力は高い。

▼ 相談員の評価

職員の接遇態度の良さ	コロナ禍で面会の機会が減少する中、職員が自ら工夫してケアを実施。職員のご入居者を想う姿勢は接遇態度の良さで表現されている。
施設長の受け入れに対する積極性	医療依存度の高い方の受け入れにも積極的。困難事例でも受け入れに真摯に向き合ってくれる。
認知症対応力が高い	運営会社であるグリーンライフは認知症ケアで業界内でも評価されている。
個別対応力	身体介護のみならず、その方のライフスタイルを尊重し、生活を支援。また、看護師が毎日健康状態の把握を行い、健康管理も支援。

※ 2022 年 9 月 1 日の重要事項説明書等によるデータ

有 カリエール茨木

大阪府茨木市東太田 4-6-16
☎ 072-623-1277

🏠 全192室

【アクセス】JR 京都線「摂津富田」駅より高槻市営バス「土室南」停留所下車、徒歩 5 分
【運営会社】グリーンライフ株式会社
【利用料金】入居一時金なし、月額利用料 235,400 円～

広々とした敷地に建ち、落ち着いた色合いが印象的なホーム。ホーム周辺は緑広がる閑静な住宅街で、ゆったりと過ごせる環境を提供。館内は日差しが多く、ホーム全体に明るさがある。また、お誕生日会、フラワーアレンジメント、音楽イベントなどアクティビティが多彩。近接の病院と高い専門性を持つ職員により医療依存度の高い方や要介護度の高い方、機能維持したい方など、さまざまなニーズにも応えられる体制が整っている。昨年の☆に続き今年は☆☆を獲得。

▼ ハード面の充実

居室の広さ	機能訓練室の有無	グループケアの実施	浴室環境の充実
◎	◎	○	◎

▼ ソフト面の充実

介護福祉士率	介護士に占める介護福祉士取得率が高く、スキルの高い職員がそろう。
夜間職員の配置	夜間は 7 名の介護士が常駐。
看取り能力の高さ	看護師配置は日中のみだが、介護士とうまく連携し昨年は 26 名の看取りを実施。看取り能力は高い。
情報開示力の高さ	ホームの出来事を毎月ホームページで発信。運営会社が情報発信に力を入れているホーム。

▼ 相談員の評価

職員の接遇態度の良さ	職員の挨拶の姿勢や明るく丁寧な説明があり、接遇態度の良さは評判。
施設長の受け入れに対する積極性	医療依存度の高い方の受け入れにも積極的。困難事例でも受け入れに真摯に向き合ってくれる施設長の積極性も評判。
認知症対応力が高い	運営会社であるグリーンライフは認知症ケアで業界内でも評価されている。
個別対応力	その方のライフスタイルを尊重した生活の支援を行っている。

※ 2022 年 7 月 1 日の重要事項説明書等によるデータ

(有) はぴね江坂

大阪府吹田市江坂町 2-18-20
☎ 06-6339-5753

全46室

【アクセス】大阪メトロ御堂筋線（北大阪急行）「江坂」駅より徒歩約 12 分
【運営会社】グリーンライフ株式会社
【利用料金】入居一時金なし、月額利用料 285,916 円〜（税込み）
　　　　　　※詳細は同社 HP を参照

人気の北摂エリアにあり、全 46 室、ワンフロア 9 〜 14 名とコンパクトな設計で家庭的な雰囲気の同ホーム。敷地内には居宅介護支援事業所、訪問看護、訪問介護、デイサービスを併設しており一人一人の健康状態や要望への対応が可能。同ホームではこれを「オーダーメイドケア」と呼んでいる。24 時間看護師が常駐しており、胃ろうやストーマ、人工透析、インスリンなど医療依存度の高い方も安心して入居できる。

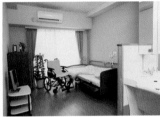

▼ ハード面の充実

居室の広さ	機能訓練室の有無	グループケアの実施	浴室環境の充実
○	○	◎	◎

▼ ソフト面の充実

医療対応力	24 時間看護師常駐。
介護福祉士率	介護士に占める介護福祉士取得率が高く、スキルの高い職員がそろう。
夜間職員の配置	看護師含め 3 名の夜間体制。
看取り能力の高さ	昨年は 11 名の看取りを実施。看取り能力は高い。
情報開示力の高さ	ホームのブログを頻繁に更新しており、情報発信に力を入れている。

▼ 相談員の評価

職員の接遇態度の良さ	ご入居者の要望に応じたサービスを提供する「オーダーメイドケア」を導入するなど、職員の接遇態度の良さは評判。
施設長の受け入れに対する積極性	困難事例であっても親身に相談に乗ってくれる。

※ 2022 年 4 月 1 日の重要事項説明書等によるデータ

ラ・ルーラえさか

大阪府吹田市江坂町 3-28-28
☎ 06-6339-4165

 全53室

【アクセス】大阪メトロ御堂筋線（北大阪急行）「江坂」駅より徒歩 15 分
【運営会社】医療法人 神明会
【利用料金】入居一時金なし、月額利用料 156,900 円〜

医療法人が母体のホーム。訪問介護ステーション、居宅介護支援事業所を併設。近隣にはデイサービスもあり、ご入居者一人一人に合った機能訓練やマッサージを受けることが可能。看護師は日中常駐しており、医療法人が母体であるからこそのサービスを受けることができる。またホームの雰囲気作りも大切にしており、足を踏み入れた瞬間に活気のあるホームだと感じられる「力」溢れるホームを目指して運営している。昨年は☆を獲得し、今年は☆☆を獲得。

▼ ハード面の充実

居室の広さ	機能訓練室の有無	グループケアの実施	浴室環境の充実
○	○	◎	◎

▼ ソフト面の充実

人員配置の充実	サービス付き高齢者向け住宅でありながら、要介護者 1.8 名に対し常勤職員 1 人配置と手厚い人員配置。
職員定着率が高い	アットホームな雰囲気のホーム。職員の定着率がとても高い。
介護福祉士率	介護士に占める介護福祉士取得率が高く、スキルの高い職員がそろう。
リハビリ専門職の配置	理学療法士、作業療法士、言語聴覚士が在籍。個別リハビリも実施。
情報開示力の高さ	ホームの出来事を毎月ホームページで発信。運営会社が情報発信に力を入れているホーム。

▼ 相談員の評価

職員の接遇態度の良さ	運営会社が職員教育に力を入れていることもあり、接遇態度の良さは評判。
施設長の受け入れに対する積極性	困難事例でも親身に相談に乗ってくれる。

※ 2022 年 7 月 1 日の重要事項説明書等によるデータ

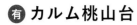 **カルム桃山台**

大阪府吹田市春日 4-12-26
☎ 06-6338-8018

全72室

【アクセス】 大阪メトロ御堂筋線（北大阪急行）「桃山台」駅より徒歩 12 分
【運営会社】 株式会社サフィールケア
【利用料金】 多様な料金制度のため詳細は同社ＨＰにてご確認ください。

吹田市で 2002 年から運営されているホーム。周辺には服部緑地公園やショッピングモールなどもあり、住環境はかなり充実。病院や近隣の駅、スーパーなどには巡回バスを運行しており、高いサービスを誇る。お食事は彩りや季節感を重要視し、イベントにおいては毎月多彩なアクティビティを行っている。「どんな小さなことも見逃さないメンタルケアを心掛けている」が運営方針という老舗のホーム。自立から入居可能で、看取り能力も高い優良なホーム。

▼ ハード面の充実

居室の広さ	機能訓練室の有無	グループケアの実施	浴室環境の充実
◎	◎	◎	◎

▼ ソフト面の充実

職員定着率が高い	職員教育に力を入れており定着率が高い。
介護福祉士率	介護士に占める介護福祉士取得率が高い。
看取り能力の高さ	昨年は 11 名の看取りを実施。看取り能力は高い。

▼ 相談員の評価

職員の接遇態度の良さ	ご入居者の人生背景、価値観なども大切にしており、接遇態度の良さは評判。
施設長の受け入れに対する積極性	困難事例であっても懇切丁寧に相談に応じてくれる。

※ 2022 年 7 月 1 日の重要事項説明書等によるデータ

ロイヤルホーム吹田駅前

大阪府吹田市朝日町 5-29
☎ 06-6318-2202

全83室

【アクセス】JR 京都線「吹田」駅より徒歩 3 分
【運営会社】有限会社ハートフルケア
【利用料金】入居一時金なし、月額利用料 124,090 円～ 250,200 円

JR「吹田」駅から徒歩圏内で利便性が良く、旭通商店街の中に位置する活気溢れる周辺環境の良いホーム。元気なご入居者は自身でお買い物や図書館等にも足を延ばし充実した生活を送り、医療依存度が高い方も 24 時間看護師常駐のため、ご安心して入居できるホーム。1 階には同グループの薬局があり、薬にまつわることについても同ホームの職員と連携が取れているのも特徴。東洋医学に基づいた 5 味（酸味・苦味・甘味・辛味・鹹味）をしっかり感じることができる昼食は、その日の気分に合わせて選択できるできたてのお食事も評判が高い。

▼ ハード面の充実

居室の広さ	機能訓練室の有無	グループケアの実施	浴室環境の充実
○	◎	○	◎

▼ ソフト面の充実

医療対応力	24 時間看護師常駐。
介護福祉士率	介護士に占める介護福祉士取得率が高く、スキルの高い職員がそろう。
リハビリ専門職の配置	理学療法士を配置。
情報開示力の高さ	ホームの出来事を毎月ホームページで発信。運営会社が情報発信に力を入れているホーム。

▼ 相談員の評価

職員の接遇態度の良さ	運営会社が職員教育に力を入れていることもあり、接遇態度の良さは評判。
施設長の受け入れに対する積極性	困難事例でも受け入れに関し積極的に相談に乗ってくれる。

※ 2022 年 7 月 1 日の重要事項説明書等によるデータ

Ⓢ ロイヤルホーム健都

大阪府吹田市岸部中 2-18-1
☎ 06-6386-4555

🏠 全96室

【アクセス】JR 京都線「岸辺」駅より徒歩約 7 分
【運営会社】有限会社ハートフルケア
【利用料金】入居一時金なし、月額利用料 117,000 円

大
阪
府

吹
田
市

市立吹田市民病院や国立循環器病センターが近隣にあり再開発が進むエリアに立地している。訪問介護・看護ステーションを併設し、24 時間常駐しているため、医療依存度が高い方であっても安心・安全な毎日を過ごすことができる。また、月額利用料が 11.7 万円ながら、居室は 18 ㎡で収納棚や温水洗浄便座はもちろん、見守り支援システム「眠りスキャン」も導入されており、看取り期まで安心して生活ができるホーム。

▼ ハード面の充実

居室の広さ	機能訓練室の有無	グループケアの実施	浴室環境の充実
○	◎	○	◎

▼ ソフト面の充実

人員配置の充実	サービス付き高齢者向け住宅でありながら、要介護者 1.8 名に対し常勤職員 1 人配置と手厚い人員配置。
医療対応力	24 時間看護師常駐。
リハビリ専門職の配置	理学療法士を配置。個別リハビリを提供。

▼ 相談員の評価

職員の接遇態度の良さ	運営会社が職員教育に力を入れていることもあり、接遇態度の良さは評判。
施設長の受け入れに対する積極性	困難事例でも受け入れに関し積極的に相談に乗り、個別のサービスについても親身に対応してくれる。
認知症対応力が高い	ホーム一丸となり、認知症の方であっても親身に相談に乗ってくれる。

※ 2022 年 7 月 1 日の重要事項説明書等によるデータ

㈲ PDハウス岸部

大阪府吹田市岸部中 3-8-1
☎ 06-6155-5866

🏫 全60室

【アクセス】JR 京都線「岸辺」駅より徒歩 5 分
【運営会社】株式会社サンウェルズ
【利用料金】入居一時金なし、月額利用料 180,400 円

JR 京都線「岸辺」駅から徒歩 5 分の立地。パーキンソン病に特化した有料老人ホーム。神経内科専門医および脳神経内科病院と連携し専門家による訪問診療を受けることが可能。また神経内科専門医監修のリハビリプログラムが 365 日提供されており、入居後も安心して過ごすことができる。ホームには看護師が 24 時間常駐しており、急な体調の変化にも対応できる、手厚い人員配置となっている。

▼ ハード面の充実

居室の広さ	機能訓練室の有無	グループケアの実施	浴室環境の充実
○	◎		◎

▼ ソフト面の充実

人員配置の充実	住宅型有料老人ホームとしては人員配置率が高く充実。
医療対応力	看護師が 24 時間勤務により服薬管理や細かな症状の変化、副作用の状況も適切に把握することができ、服薬のサポートが可能。
リハビリ専門職の配置	理学療法士、作業療法士、言語聴覚士が在籍。

▼ 相談員の評価

職員の接遇態度の良さ	職員は丁寧な対応で評判のホーム。
施設長の受け入れに対する積極性	困難事例でも親身になって相談に乗ってくれる。
個別対応力	パーキンソン病を熟知した専門の職員が多数在籍し、豊かな生活を送るための方法を専門的立場から提案してくれる。

※ 2022 年 7 月 1 日の重要事項説明書等によるデータ

⟨サ⟩ ロイヤルホーム箕面

大阪府箕面市西小路 5-4-13
☎ 072-723-1991

🏠 全36室

【アクセス】阪急箕面線「牧落」駅より徒歩 5 分
【運営会社】有限会社ハートフルケア
【利用料金】入居一時金なし、月額利用料 138,000 円～ 205,000 円

桜と紅葉の名所である五月山を望み、周辺には市役所や和菓子屋、カフェなど利便性に優れた暮らしやすい環境に立地。阪急箕面線「牧落」駅から徒歩 5 分でありながら、駐車場も完備されているので、車で訪問するご家族の方も安心。同ホームではインカムや眠りスキャンなどの ICT を導入し、ご入居者に寄り添い生活しやすい環境を提供している。リハビリにも力を入れており、自立した生活や機能回復を望む方々に寄り添った支援が人気の一つになっている。

▼ ハード面の充実

居室の広さ	機能訓練室の有無	グループケアの実施	浴室環境の充実
○	◎		◎

▼ ソフト面の充実

介護福祉士率	介護福祉士が 8 割以上とスキルの高い職員が多い。
リハビリ専門職の配置	系列の訪問看護ステーションと連携し個別リハビリを提供。
情報開示力の高さ	ホームの出来事を毎月ホームページで発信。運営会社が情報発信に力を入れているホーム。

▼ 相談員の評価

職員の接遇態度の良さ	運営会社が職員教育に力を入れていることもあり、接遇態度の良さは評判。
施設長の受け入れに対する積極性	困難事例でも受け入れに関し積極的に相談に乗ってくれる。
アクティビティ活動の充実	リハビリやレクリエーション、「はーとの日」などのアクティビティ活動が充実。

※ 2022 年 7 月 1 日の重要事項説明書等によるデータ

(有) ささゆりの宿り

大阪府箕面市彩都粟生南 2-25-17
☎ 072-726-5370

🏥 全45室

【アクセス】大阪モノレール彩都線「彩都西」駅より徒歩 15 分
【運営会社】株式会社 MSC
【利用料金】入居一時金なし、127,033 円〜

看護師が 24 時間 365 日常駐しており安心の介護体制を整えているホーム。人気の高い箕面エリアにあり、緑豊かで閑静な住宅街の一角にたたずんでいる。介護士 2 名、看護師 1 名が常駐しており医療ニーズの高い方にも対応可能な人員配置を実施。また、比較的入居費用が高い北摂地域で、低価格を実現しており職員の接遇態度も好評。経営者の食事に対するこだわりによって、ご入居者一人一人の体調や健康状態に合わせてその日の食事を提供できるのも強みの一つ。

▼ ハード面の充実

居室の広さ	機能訓練室の有無	グループケアの実施	浴室環境の充実
		○	◎

▼ ソフト面の充実

人員配置の充実	住宅型有料老人ホームとしては人員配置率が高く充実。
職員定着率が高い	昨年度の職員離職はほとんどなく、職員定着率が高い。
医療対応力	訪問看護ステーションを有しており、看護師を 24 時間配置し、医療依存度の高い方でも対応可能。
夜間職員の配置	介護士、看護師含め常時 3 名が常駐。

▼ 相談員の評価

職員の接遇態度の良さ	職員間の雰囲気が良く、ホーム内が明るい雰囲気で包まれている。
施設長の受け入れに対する積極性	困難事例であっても前向きに相談に乗ってくれる。

※ 2022 年 7 月 1 日の重要事項説明書等によるデータ

㊹ ばらの宿り

大阪府豊中市三和町 1-3-7
☎ 06-6335-0170

🏠 全30室

【アクセス】阪急宝塚線「庄内」駅より徒歩 14 分
【運営会社】株式会社 MSC
【利用料金】入居一時金なし、月額利用料 91,400 円～

2019 年 9 月にオープンしたホーム。自社運営の訪問看護ステーションとの連携により、24 時間の看護体制を整えている。また、理学療法士も定期的に訪問して専門的なリハビリを行っている。提携の医療機関とも連携を取り、24 時間迅速かつ適切な対応を行える環境が整っている。食事についてもこだわりをもっており、ホームで常駐の調理師が調理。温かい食事を提供するだけではなく、健康状態や体調を考慮したうえで、献立を作成している。昨年に続き本年度も☆☆を獲得。

▼ ハード面の充実

居室の広さ	機能訓練室の有無	グループケアの実施	浴室環境の充実
○			◎

▼ ソフト面の充実

人員配置の充実	サービス付き高齢者向け住宅でありながら、要介護者 2.3 名に対し常勤職員 1 人配置と手厚い人員配置。
医療対応力	24 時間看護師常駐。
介護福祉士率	介護士に占める介護福祉士取得率が高い。
看取り能力の高さ	昨年は 9 名の看取りを実施。看取り能力は高い。
情報開示力の高さ	ホームの出来事を毎月ホームページで発信。運営会社が情報発信に力を入れているホーム。

▼ 相談員の評価

職員の接遇態度の良さ	運営会社が職員教育に力を入れていることもあり、接遇態度の良さは評判。
施設長の受け入れに対する積極性	施設長は困難事例であっても丁寧に相談に応じてくれる。
個別対応力	ホーム内に調理師が常駐しており、体調や健康状態を考慮し旬の食材を使った温かい家庭料理の提供が可能。

※ 2022 年 7 月 1 日の重要事項説明書等によるデータ

㊛ ロイヤルホーム柴原

大阪府豊中市柴原町 2-6-25
☎ 06-4865-5101

全62室

【アクセス】大阪モノレール「柴原阪大前」駅より徒歩 5 分
【運営会社】有限会社ハートフルケア
【利用料金】入居一時金なし、月額利用料 119,000 円

すべての人々の心と身体の健康増進を目指して、日々の食事やレクリエーションに力を入れているホーム。農家直送の野菜を一部利用し、ホーム内で調理されたできたての食事は評判。ご入居者と「ロイヤルホーム柴原菜園」で野菜の収穫も行っており、収穫された野菜も食事として提供している。また、レクリエーションを活用し健康増進活動を行うことにより、生活の質向上を目指しているため、元気な方々が多く、活気に溢れているホーム。

▼ ハード面の充実

居室の広さ	機能訓練室の有無	グループケアの実施	浴室環境の充実
○		◎	◎

▼ ソフト面の充実

人員配置の充実	サービス付き高齢者向け住宅でありながら、要介護者 2.2 名に対し常勤職員 1 人配置と手厚い人員配置。
介護福祉士率	介護士に占める介護福祉士取得率が高く、スキルの高い職員がそろう。
情報開示力の高さ	ホームの出来事を毎月ホームページで発信。運営会社が情報発信に力を入れているホーム。

▼ 相談員の評価

職員の接遇態度の良さ	運営会社が職員教育に力を入れていることもあり、接遇態度の良さは評判。
施設長の受け入れに対する積極性	施設長は困難事例でも受け入れに関し積極的に相談に乗ってくれる。
アクティビティ活動の充実	「はーとの日」や菜園活動等さまざまなイベントを実施しており、アクティビティ活動は充実している。

※ 2022 年 7 月 1 日の重要事項説明書等によるデータ

メルシー緑が丘

大阪府豊中市少路 1-7-21
☎ 06-4865-5001

全64室

【アクセス】大阪モノレール「少路」駅より徒歩2分
【運営会社】株式会社ビケンテクノ
【利用料金】入居一時金なし、月額利用料 414,232 円〜 427,432 円

理学療法士が 3 名、作業療法士が 1 名、看護士が 12 名と専門職が豊富にいるホーム。介護士も約 7 割が経験 10 年以上と経験豊富。グループの医療法人が運営する訪問診療クリニックが併設されているほか、看護師が 24 時間常駐しており医療依存度の高い方でも安心して入居できる。夜間帯については看護師もしくは介護士が 5 名常駐しており、安心して過ごすことができる。医療対応が必要なご入居者専用フロアがあり、スタッフの目が届きやすい環境となっている。一昨年、昨年に続き☆☆を獲得。

▼ ハード面の充実

居室の広さ	機能訓練室の有無	グループケアの実施	浴室環境の充実
○	◎	◎	◎

▼ ソフト面の充実

人員配置の充実	契約上、要介護者 1.5 名に対し 1 人の直接処遇職員配置だが、実際はそれ以上の人員を配置。
職員定着率が高い	運営会社全体が教育に力を入れており職員定着率の高さを実現。
医療対応力	24 時間看護師常駐。
介護福祉士率	介護福祉士率が 7 割以上。スキルの高い職員が多い。
夜間職員の配置	看護師、介護士が合計 5 名常駐。充実した人員で夜間でも安心。

▼ 相談員の評価

職員の接遇態度の良さ	介護経験が 10 年以上の職員が 7 割近く在籍し、スキルの高さでご入居者の要望に迅速に対応。
個別対応力	豊富な人員により、ご入居者一人一人へのコミュニケーションの時間が多く、日々の変化に対応しやすい環境。

※ 2022 年 7 月 1 日の重要事項説明書等によるデータ

有 アクティブライフ豊中

大阪府豊中市北緑丘 2-8-7
☎ 06-6854-4165

🏠 全66室

【アクセス】北大阪急行「千里中央」駅より阪急バス「北緑丘小学校前」停留所下車、徒歩約 2 分
【運営会社】株式会社アクティブライフ
【利用料金】多様な料金制度のため詳細は同社 HP にてご確認ください。

各階にリビング・ダイニングや浴室を配置した、民間の有料老人ホームでは珍しい少人数のユニットフロア方式を採用。顔なじみのご入居者や職員と家庭にいるような雰囲気の中で、その人らしい生活を提供。また、認知症ケアにも力を入れており、手厚い人員配置とユニットケアを実現。業界内でも高い評価を得ている。夜間の職員配置は看護師含め 7 名常駐しており、夜間でも安心して過ごせる。アクティビティでは定例イベントに加え、花見や外食ツアーなど外出イベントもあり多彩。3 年連続で☆☆を獲得のホーム。

▼ ハード面の充実

居室の広さ	機能訓練室の有無	グループケアの実施	浴室環境の充実
○	◎	◎	◎

▼ ソフト面の充実

人員配置の充実	契約上、要介護者 1.5 名に対し 1 人の直接処遇職員配置だが、実際はそれ以上の人員配置。業界でもトップクラスの手厚い人員配置を誇る。
職員定着率が高い	職員教育に力を入れており、職員の定着率は高い。
医療対応力	24 時間看護師常駐。看護師が計 12 名勤務しており、医療依存度の高いご入居者でも対応が可能。
介護福祉士率	介護士に占める介護福祉士取得率が高く、スキルの高い職員がそろう。
看取り能力の高さ	昨年は 10 名の看取りを実施。24 時間看護師体制で看取り能力も高い。

▼ 相談員の評価

職員の接遇態度の良さ	運営会社が職員教育に力を入れており接遇態度の良さは評価されている。
個別対応力	家事サービスは週 3 回の居室内の清掃や週 1 回のリネン交換を実施。環境を整え、毎日を気持ちよく過ごせるよう努めている。

※ 2023 年 7 月 1 日の重要事項説明書等によるデータ

有 チャームスイート 緑地公園

大阪府豊中市西泉丘 3-2-21
☎ 06-6866-2511

全128室

【アクセス】北大阪急行「桃山台」駅より阪急バス「ジオ緑地住宅前」停留所下車、徒歩3分
【運営会社】株式会社チャーム・ケア・コーポレーション
【利用料金】入居一時金0円〜 4,800,000円、月額利用料 212,460円〜 298,460円

服部緑地の近くに位置し、緑に囲まれた環境。館内は至る所にお花があり、館外・館内ともに緑溢れるホーム。館内には内科・歯科の2つのクリニックが併設されており、いずれも往診にも対応可能。ご入居者受付を済ませれば、診察の順番がくるまで自室で待っていることが可能なので、時間に縛られることなく、診察を受けることができる。職員はご入居者一人一人の「ありのままの想い」を大切に考えてサービスを提供している。

▼ ハード面の充実

居室の広さ	機能訓練室の有無	グループケアの実施	浴室環境の充実
○			◎

▼ ソフト面の充実

職員定着率が高い	昨年の離職率は15%以下と一昨年同様、職員の定着率が高い。
看取り能力の高さ	昨年は14名の看取りを実施。看取り能力は高い。
情報開示力の高さ	日々のイベント情報等をHP上のブログで配信。情報開示の姿勢は高い。

▼ 相談員の評価

職員の接遇態度の良さ	同社は接遇教育に力を入れており接遇態度の良さは評価されている。
施設長の受け入れに対する積極性	困難事例であっても丁寧に相談に応じてくれる。
認知症対応力が高い	日常の健康管理や健康相談、協力医療機関への連絡体制の充実により、ご入居者一人一人の状態を把握。
アクティビティ活動の充実	ご入居者に楽しく過ごしてもらうため、イベントを毎月多数開催。
個別対応力	豊かな自然に囲まれた環境にあり、自然の音を聞き癒されると評判。

※ 2022年7月1日の重要事項説明書等によるデータ

㉛ そんぽの家S桃山台

大阪府豊中市上新田 3-6-9
☎ 06-6836-6066

🏠 全50室

【アクセス】北大阪急行「桃山台」駅より徒歩約10分
【運営会社】ＳＯＭＰＯケア株式会社
【利用料金】入居一時金なし、月額利用料 164,540 円

大阪府
豊中市

隣接する保育園から園児の声とともに、運動会等のイベントの軽快な音楽も心地よく聞こえてくる。週替わりでお花を飾っており、毎週新しいお花が届くのを楽しみにしているご入居者も多い。SOMPO ケアのホームだけあり、アクティビティ活動はかなり充実。音楽体操や健康教室などさまざまなアクティビティを行い、ご入居者が飽きないよう心掛けている。ローソンの移動販売車が2週間に1度来所し、ご入居者が自由にお買い物を楽しめる。

▼ ハード面の充実

居室の広さ	機能訓練室の有無	グループケアの実施	浴室環境の充実
◯		◎	◎

▼ ソフト面の充実

人員配置の充実	サービス付き高齢者向け住宅でありながら、要介護者 1.7 名に対し常勤職員 1 人配置と手厚い人員配置。
介護福祉士率	介護士に占める介護福祉士取得率が高く、スキルの高い職員がそろう。
情報開示力の高さ	情報発信に力を入れておりホームのブログにて日常の様子を頻繁に更新。

▼ 相談員の評価

職員の接遇態度の良さ	運営会社が職員教育に力を入れており接遇態度の良さは評判のホーム。
アクティビティ活動の充実	これまでなかった書道教室やヨガ教室、出張販売などでアクティビティ活動も充実。

※ 2022 年 7 月 1 日の重要事項説明書等によるデータ

有 アシステッドリビングホーム
豊泉家桃山台

🏠 全82室

大阪府豊中市上新田 3-10-36
☎ 06-6873-0075

【アクセス】北大阪急行「桃山台」駅より徒歩 10 分
【運営会社】社会福祉法人 福祥福祉会
【利用料金】入居一時金 1,160,000 円（居住費分割払いの場合）、月額利用料 481,211 円〜　※詳細は同社 HP を参照

ご入居者の平均要介護度が 2 以下と比較的軽度な人が多いこともあり、アクティビティ活動に力を入れている。「ロビーコンサート」「棒サッカー」など 1 日にいくつもの活動を実施しており、日々退屈することなく過ごすことが可能。館内には食料品や日用品を買えるギフトショップもあり、「お取り寄せ」にも対応しているため、孫の誕生日プレゼントを買う人もいるとか。また、ホーム内に看護師が 24 時間常駐しているほか、認知症に力を入れたケアの提供なども行っており、安心して看取りまで過ごせる。昨年は☆☆☆、今年も☆☆を獲得。

▼ ハード面の充実

居室の広さ	機能訓練室の有無	グループケアの実施	浴室環境の充実
○	◎	○	◎

▼ ソフト面の充実

人員配置の充実	要介護者 2 名に対し 1 人の直接処遇職員を配置。
職員定着率が高い	運営会社が職員教育に力を入れており、職員定着率は高い。
医療対応力	24 時間看護師常駐。看護師が計 13 名勤務しており、医療依存度の高い方でも対応が可能。
看取り能力の高さ	昨年は 15 名の看取りを実施。看取り能力は高い。

▼ 相談員の評価

職員の接遇態度の良さ	接遇教育に力を入れており、職員の接遇の良さには評判がある。
施設長の受け入れに対する積極性	医療体制の充実により、困難事例であっても真摯に向き合い対応。
認知症対応力が高い	独自の認知症ケアを用いて、認知症を有する方に不安なく生活できるよう支援。
アクティビティ活動の充実	季節ごとのレクリエーションやイベントを通じ、『家縁社会』の創造に向けコミュニティ創りに力を入れている。

※ 2022 年 7 月 1 日の重要事項説明書等によるデータ

有 ウエルハウス千里中央

大阪府豊中市新千里東町 1-4-3
☎ 06-6872-1000

全181室

【アクセス】北大阪急行「千里中央」駅より徒歩3分、大阪モノレール「千里中央」
駅より徒歩6分
【運営会社】グリーンライフ株式会社
【利用料金】入居一時金なし、月額利用料275,400円〜（税込み）
※詳細は同社HPを参照

北大阪急行「千里中央」駅が最寄り駅で、大阪モノレール「千里中央」
駅からも徒歩圏内と、大阪府内で常に住みたい街ランキング上位に挙が
る人気の地域に位置する。さらに駅や商業施設はすべてペデストリアン
デッキで結ばれており、利便性の良さは抜群。2人入居可能な40㎡の
居室も19室とかなり多めの設置。看護師が日中常駐しており、夜間に
ついては提携医療機関である病院が併設されており、医療的な対応が必
要な人でも安心して過ごすことのできるホーム。

▼ ハード面の充実

居室の広さ	機能訓練室の有無	グループケアの実施	浴室環境の充実
◎	◎		◎

▼ ソフト面の充実

職員定着率が高い	運営会社全体が職員教育に力を入れており職員定着率の高さを実現。
夜間職員の配置	夜間は8名の介護士が常駐しており安心。
看取り能力の高さ	昨年は27名の看取りを実施。看取り能力は高い。
情報開示力の高さ	ホームのブログを頻繁に更新しており、情報発信に力を入れている。

▼ 相談員の評価

施設長の受け入れに対する積極性	困難事例であっても、真摯に相談に乗ってくれる。
認知症対応力が高い	運営会社であるグリーンライフは認知症ケアで業界内でも評価されている。

※ 2022年7月1日の重要事項説明書等によるデータ

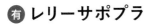

有 レリーサポプラ

大阪府池田市東山町 546
☎ 072-754-0007

🏠 全48室

【アクセス】阪急宝塚線「池田」駅より阪急バス「東山」停留所下車、徒歩 4 分、阪神高速池田線「池田木部第一出入口」より車で 3 分
【運営会社】社会福祉法人 池田さつき会
【利用料金】〈前払いプラン／75 歳以上の場合〉前払金 4,800,000 円〜7,800,000 円（非課税）、月額利用料 209,720 円（税込み）※詳細は同社 HP を参照

池田さつき会は 2004 年から池田市・北摂地域で特養やデイサービス、グループホーム、ショートステイなどを運営しており、自然豊かな環境に立地している。「ベルデクラブ」という専用のカルチャークラブを 1 階に設置し、書道、手芸、パン、お菓子作りをはじめ、ギターとピアノのデュオ演奏など日々さまざまなレクリエーションが行われご入居者を退屈させない環境。1 階にはクリニックが併設されており、医療サービスが必要な方や緊急時対応も可能なため安心。

▼ ハード面の充実

居室の広さ	機能訓練室の有無	グループケアの実施	浴室環境の充実
◎	◎	○	◎

▼ ソフト面の充実

介護福祉士率	介護士に占める介護福祉士取得率が高く、スキルの高い職員がそろう。
夜間職員の配置	看護師含め 3 名の夜間体制。夜間も安心。
看取り能力の高さ	昨年は 15 名の看取りを実施。看取り能力は高い。

▼ 相談員の評価

職員の接遇態度の良さ	職員とご入居者が信頼関係をしっかりと構築。その信頼関係が接遇の良さにつながる。
施設長の受け入れに対する積極性	医療依存度の高い方も含め困難事例に対しても積極的に受け入れ。

※ 2022 年 10 月 1 日の重要事項説明書等によるデータ

(有) グッドタイム リビング 池田緑丘

🏠 全53室

大阪府池田市緑丘1-4-23
☎ 0120-135-166

【アクセス】阪急宝塚線「石橋阪大前」駅より阪急バス「緑丘小学校前」停留所
下車徒歩約1分または「秦野小学校前」停留所下車、徒歩約5分ま
たはタクシーで約4分
【運営会社】グッドタイム リビング株式会社
【利用料金】多様な料金制度のため詳細は同社HPにてご確認ください。

2007年に開設。閑静な住宅街にあり、五月山の麓に位置する。春には満開の桜、夏には猪名川の花火を見ることができるなど、ホームにいながら四季を満喫することが可能。運営会社であるグッドタイム リビング株式会社は社員教育に力を入れており、職員の定着率が高い会社。また、住宅型有料老人ホームでありながら介護付有料老人ホーム並みの人員配置率を実現しており、ご入居者（ゲスト）一人一人に寄り添った介護を実現している。

▼ ハード面の充実

居室の広さ	機能訓練室の有無	グループケアの実施	浴室環境の充実
◎			◎

▼ ソフト面の充実

人員配置の充実	住宅型有料老人ホームでありながら職員を平均以上に配置。
職員定着率が高い	運営会社が職員教育に力を入れており定着率は高い。
介護福祉士率	介護福祉士率が7割以上。スキルの高い職員が多い。
情報開示力の高さ	ホームのブログは頻繁に更新しており、情報発信に力を入れている。

▼ 相談員の評価

職員の接遇態度の良さ	「オーダーメイドケア」を意識した接遇サービス・ケアでご入居者の暮らしを支える職員体制が整っている。
施設長の受け入れに対する積極性	一人の大切なご入居者であることを常に意識し、同社の数あるホームの中でも特に積極的に受け入れ。
認知症対応力が高い	日々のアクティビティから認知症予防プログラムを受けられる。手厚い職員配置もあり認知症対応力は高い。
アクティビティ活動の充実	毎日4～5つのプログラムを実施。知的好奇心や教養を高める取り組みから趣味の集いまで幅広く対応。

※ 2022年7月1日の重要事項説明書等によるデータ

有 SOMPOケア
ラヴィーレ池田

🏠 全45室

大阪府池田市井口堂 2-9-14
☎ 072-760-0053

【アクセス】阪急宝塚線「石橋阪大前」駅より徒歩 13 分
【運営会社】ＳＯＭＰＯケア株式会社
【利用料金】多様な料金制度のため詳細は同社ＨＰにてご確認ください。

2020 年に池田市内に移転し、居室の広さと共用施設がより充実。職員の教育にかなり力を入れており、経験豊富な職員がそろっている。職員間のコミュニケーションも密にとっており、ご入居者が安心して生活できる環境が整っている。職員の定着率が高く、手厚い人員配置が特長。ご入居者が喜んでくれるアクティビティ活動を日々模索し、クオリティの高いレクリエーションを実施している。

▼ ハード面の充実

居室の広さ	機能訓練室の有無	グループケアの実施	浴室環境の充実
◎			◎

▼ ソフト面の充実

人員配置の充実	要介護者 1.8 名に対し常勤職員 1 人を配置。手厚い職員配置。
職員定着率が高い	昨年度の離職率は 10％以下と、職員の定着率が高い。
看取り能力の高さ	看護師配置は日中のみだが、訪問診療医や介護士との連携により看取り実績多。昨年の看取り数は 6 名。

▼ 相談員の評価

職員の接遇態度の良さ	職員が主体となったアクティビティも実施するなど、活気のあるホーム。
アクティビティ活動の充実	毎週土曜日に行われる品ぞろえ豊富なスーパーの移動販売がご入居者に好評。

※ 2022 年 7 月 1 日の重要事項説明書等によるデータ

有 花咲池田 21

大阪府池田市井口堂 3-7-14
☎ 072-763-5355

🏠 全100室

【アクセス】阪急宝塚線「石橋阪大前」駅より徒歩 15 分
【運営会社】株式会社ライク
【利用料金】入居一時金 0 円～ 3,600,000 円、月額利用料 181,230 円～ 253,230 円

2007 年に開設されたホーム。阪急宝塚線「石橋阪大前」駅が徒歩圏内。若者が多く活気溢れる地域だが、ホームは閑静な住宅街に建つ。日中は看護師が常駐しており、夜間も 4 ～ 5 名の介護士が常駐しているので安心。高級ホテルを思わせる雰囲気の調度品や別注家具を使用するなど、建物にもこだわりを見せ、玄関やロビーは豪華絢爛。レクリエーションやイベントなどに使われる和室や広い屋上庭園、中庭などご入居者がゆっくりできるスペースがホーム内各所に設けられている。昨年の☆に続き、今年は☆☆を獲得。

▼ ハード面の充実

居室の広さ	機能訓練室の有無	グループケアの実施	浴室環境の充実
○	◎	○	◎

▼ ソフト面の充実

人員配置の充実	契約上、要介護者 1.9 名に対し 1 人の直接処遇職員配置だが、実際はそれ以上の人員を配置。
職員定着率が高い	昨年度の離職率は 10% 以下と、職員の定着率が高い。
介護福祉士率	介護福祉士率が 6 割以上。スキルの高い職員が多い。
夜間職員の配置	夜間は 4 ～ 5 名の介護士が常駐。
看取り能力の高さ	昨年は 15 名の看取りを実施。看取り能力は高い。
情報開示力の高さ	ホームのブログは頻繁に更新しており、情報発信に力を入れている。

▼ 相談員の評価

職員の接遇態度の良さ	介護士が 24 時間体制で常駐し、ご入居者の生活を支援。一人一人様子を把握し、誠意をもって暮らしをサポート。
施設長の受け入れに対する積極性	施設長は困難事例であっても真摯に相談に乗ってくれる。

※ 2022 年 7 月 1 日の重要事項説明書等によるデータ

有 そんぽの家　鶴見徳庵

大阪府東大阪市稲田上町 2-2-53
☎ 0120-37-1865

🏠 全49室

【アクセス】JR 学研都市線「徳庵」駅より徒歩約 3 分
【運営会社】ＳＯＭＰＯケア株式会社
【利用料金】入居一時金なし、月額利用料 181,660 円〜

JR 学研都市線「徳庵」駅から徒歩約 3 分とご家族も訪問しやすく、スーパーや商店街、郵便局など生活のしやすい便利な立地。広々とした居室にはキッチン、浴室が完備されており、入居前と生活リズムを変えることなく生活することができる。4 階には機能訓練室および図書スペースがあり、好きな時間に読書やリハビリに専念することも可能。また、定期的に開催されている子ども食堂は地域の子どもたちと交流できる場として好評。

▼ ハード面の充実

居室の広さ	機能訓練室の有無	グループケアの実施	浴室環境の充実
○	◎		

▼ ソフト面の充実

人員配置の充実	契約上要介護者 3 名に対し 1 人の人員配置だが、実際はそれ以上の人員を配置。
職員定着率が高い	運営会社が職員教育に力を入れているため調査時の離職率は 5 %程度ととても低い。
看取り能力の高さ	看護師配置は日中のみだが、提携医療機関、介護士との連携により看取り実績多。看取り能力は高い。
情報開示力の高さ	運営会社が情報発信に力を入れておりホームブログを頻繁に更新。

▼ 相談員の評価

施設長の受け入れに対する積極性	困難事例でも親身になって相談に乗ってくれる。
アクティビティ活動の充実	子ども食堂や月に 1 回のお食事会は評価が高く人気のイベントとなっている。

※ 2022 年 7 月 1 日の重要事項説明書等によるデータ

有 介護付有料老人ホーム 緑風館

 全56室

大阪府東大阪市菱屋東 1-12-25
☎ 072-965-9777

【アクセス】近鉄奈良線「若江岩田」駅より徒歩約6分
【運営会社】株式会社 三輪
【利用料金】入居一時金なし、月額利用料 235,982 円〜

24時間ナーシングホームを実現している。看護師が24時間常駐しており、専門的な治療、援助が可能となっている。また、ご入居者の万一の緊急入院にも備えて寿山会喜馬病院にご入居者専用のベッドを確保している。ナーシングホームで治療を行うだけではなく、機能維持・回復を目的としてリハビリテーションにも力を入れている。レクリエーションの充実も図っており、地域のボランティア団体や保育園の園児なども参加する行事や季節ごとのイベントも積極的に行っている。

▼ ハード面の充実

居室の広さ	機能訓練室の有無	グループケアの実施	浴室環境の充実
	◎	◎	◎

▼ ソフト面の充実

人員配置の充実	契約上、要介護者3名に対し1人の直接処遇職員配置だが、実際はそれ以上の人員を配置。
医療対応力	24時間看護師常駐。
介護福祉士率	介護士に占める介護福祉士取得率が6割以上と高く、スキルの高い職員がそろう。
夜間職員の配置	看護師含め3名の夜間体制。夜間も安心。
看取り能力の高さ	昨年は9名の看取りを実施。看取り能力は高い。

▼ 相談員の評価

職員の接遇態度の良さ	ユニットケアの実施により職員とご入居者が近い関係を構築。近い関係が接遇の良さにつながっている。
認知症対応力が高い	ユニットケアの実施と職員のスキルの高さでご入居者一人一人の状態を細かく把握。認知症対応力は高い。

※ 2022年7月1日の重要事項説明書等によるデータ

有 そんぽの家　新石切

大阪府東大阪市北石切町 6-25
☎ 072-983-7551

全56室

【アクセス】近鉄けいはんな線「新石切」駅より徒歩 19 分
【運営会社】ＳＯＭＰＯケア株式会社
【利用料金】入居一時金なし、月額利用料 159,330 円

定期的に世代間交流の場として、子ども食堂を開催しており、地域の方々との交流を大事にしている。買い物に行けない方も、週に1回は移動スーパーがホームまで来てくれるので安心。2005 年に開設された同ホームだが、石切神社の麓にある閑静な住宅街のなかで四季を感じることができると人気。すべての職員が、ご入居者一人一人の望む生活を送れるように支えており、生活の場には「笑顔」が溢れている。

▼ ハード面の充実

居室の広さ	機能訓練室の有無	グループケアの実施	浴室環境の充実
		○	◎

▼ ソフト面の充実

人員配置の充実	要介護者 1.9 名に対し常勤職員 1 人を配置。手厚い職員配置。
職員定着率が高い	運営会社が職員教育に力を入れており定着率は高い。
看取り能力の高さ	昨年は 10 名の看取りを実施。看取り能力は高い。
情報開示力の高さ	情報発信に力を入れており、ホームのブログにて日常の様子を頻繁に更新。

▼ 相談員の評価

アクティビティ活動の充実	毎月 1 回の子どもたちとの世代間交流を目的とする子ども食堂のレクリエーションはご入居者に好評。

※ 2022 年 7 月 1 日の重要事項説明書等によるデータ

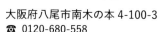（サ）ココファン八尾

大阪府八尾市南木の本 4-100-3
☎ 0120-680-558

🏠 全44室

【アクセス】大阪メトロ谷町線「八尾南」駅より徒歩 11 分
【運営会社】株式会社 学研ココファン
【利用料金】入居一時金なし、月額利用料147,511円〜211,597円（食費30日分含む）

大阪メトロ谷町線「八尾南」駅徒歩圏内に立地し、2013 年にオープン。スーパー、コンビニ、薬局があり、利便性の良いホーム。サービス付き高齢者向け住宅でありながら、介護付有料老人ホームと変わりない人員を配置しており、手厚い介護を受けることが可能。食事は和食を中心に、管理栄養士が監修した栄養バランスの良い食事を提供。モットーは「地域で普通に暮らす高齢者が、住み慣れた地域で安心して暮らし続ける住まいとサービス」。

▼ ハード面の充実

居室の広さ	機能訓練室の有無	グループケアの実施	浴室環境の充実
◎			◎

▼ ソフト面の充実

人員配置の充実	サービス付き高齢者向け住宅でありながら、要介護者 30 名に対し常勤職員 10 人配置と手厚い人員配置。
職員定着率が高い	運営会社が職員教育に力を入れており、職員定着率は高い。
看取り能力の高さ	昨年は 8 名の看取りを実施。看取り能力は高い。

▼ 相談員の評価

施設長の受け入れに対する積極性	困難事例でも受け入れに関し積極的に相談に乗ってくれる。

※ 2022 年 7 月 1 日の重要事項説明書等によるデータ

🈲 ビハーラ・ワタナベ

大阪府八尾市大字大窪 1132-2
☎ 072-943-7611

🏠 全36室

【アクセス】近鉄信貴線「服部川」駅より徒歩15分
【運営会社】株式会社ワタナベ・メディカル・サービス
【利用料金】入居一時金なし、月額利用料 131,150円〜

もともと病院だったホーム。2006年に介護付有料老人ホームとして運営を開始。看護師が常駐しており、胃ろうや経管栄養、吸引が必要な医療依存度の高い方も安心して過ごすことができる。レクリエーションにも力を入れており、ホームでのレクリエーションは毎日実施し、ご入居者にも好評。食事も同ホーム内で管理栄養士の指導のもと、施設内で調理している。

▼ ハード面の充実

居室の広さ	機能訓練室の有無	グループケアの実施	浴室環境の充実
◯			◎

▼ ソフト面の充実

人員配置の充実	契約上、要介護者3名に対し1人の直接処遇職員配置だが、実際はそれ以上の人員を配置。
介護福祉士率	介護士に占める介護福祉士取得率が高い。
看取り能力の高さ	昨年は7名の看取りを実施。看取り能力は高い。

▼ 相談員の評価

施設長の受け入れに対する積極性	困難事例でも受け入れに関し積極的に相談に乗ってくれる。
個別対応力	レクリエーションも積極的に実施しており、ご入居者やご家族からの評価も高い。

※ 2022年9月1日の重要事項説明書等によるデータ

大阪府

八尾市

有 ラ・ナシカ つるみ

大阪府大阪市鶴見区今津北 3-8-3
☎ 06-6965-1562

全90室

【アクセス】JR 学研都市線「徳庵」駅より徒歩 10 分
【運営会社】株式会社シダー
【利用料金】入居一時金なし、月額利用料 194,770 円

大阪市内のホームの中でも比較的低価格な月額利用料であるが、リハビリルームや常勤の機能訓練指導員（理学療法士）を配置し、リハビリを重視したホーム。「地域のリハビリセンター」をモットーにホーム運営している。介護付有料老人ホームには珍しく、館内にシアタールームやカラオケルームなども設置。アクティビティ活動が充実したホーム。高齢者の方が過ごしやすい環境作りを積極的に行い、永く健康に過ごせるためのホーム運営が行われている。

▼ ハード面の充実

居室の広さ	機能訓練室の有無	グループケアの実施	浴室環境の充実
○	◎	○	◎

▼ ソフト面の充実

リハビリ専門職の配置	常勤の理学療法士を 1 名配置。
夜間職員の配置	生活相談員も含め 4 名の職員で対応をしており、夜間も安心。
看取り能力の高さ	昨年は 11 名の看取りを実施。看取り能力は高い。

▼ 相談員の評価

職員の接遇態度の良さ	経験 10 年以上の職員が 5 割以上を占め、ベテラン職員の指導による接遇態度も評価されている。
施設長の受け入れに対する積極性	施設長は困難事例であっても真摯に相談に乗ってくれる。

※ 2023 年 2 月 1 日の重要事項説明書等によるデータ

そんぽの家　鶴見緑地

大阪府大阪市鶴見区諸口5丁目浜6-10
☎ 06-6913-9701

🏠 全53室

【アクセス】大阪メトロ長堀鶴見緑地線「鶴見緑地」駅より徒歩約13分
【運営会社】SOMPOケア株式会社
【利用料金】入居一時金なし、月額利用料171,550円

鶴見緑地が目の前に広がり、ご入居者がお散歩や四季の移り変わりを楽しめる。また、スーパーも隣接しており気軽に外出も可能。スキルの高い職員が多く、ご入居者一人一人と密に接して日常からコミュニケーションを取っている。ホーム内の中庭では多種多様なお花や植物を育てている。レクリエーションも盛んに行われており、ホーム1階の壁にはご入居者と職員の合作の季節に応じた作品を掲示している。

▼ ハード面の充実

居室の広さ	機能訓練室の有無	グループケアの実施	浴室環境の充実
○		○	◎

▼ ソフト面の充実

職員定着率が高い	運営会社が職員教育に力を入れており、昨年度の離職率は15%以下と職員定着率は高い。
介護福祉士率	介護福祉士率が6割以上。スキルの高い職員が多い。
看取り能力の高さ	昨年は10名の看取りを実施。看取り能力は高い。

▼ 相談員の評価

施設長の受け入れに対する積極性	ご入居者に丁寧にヒアリングを行い、困難事例でも親身に相談に乗ってくれる。

※2023年1月1日の重要事項説明書等によるデータ

そんぽの家S城東天王田

大阪府大阪市城東区天王田 17-19
☎ 06-4258-7175

 全70室

【アクセス】JR 片町線・JR おおさか東線・大阪メトロ今里筋線「鴫野」駅より徒歩15分
【運営会社】ＳＯＭＰＯケア株式会社
【利用料金】入居一時金なし、月額利用料 122,320 円

第二寝屋川のすぐ近くにあるホーム。居宅介護支援事業所も併設されており、在宅介護からの入居も容易に行うことが可能。また、在宅復帰を望む方についてもサポートがしやすい地域に密着した介護サービスを提供している。地域密着を目標に掲げている同ホームは、可能な限りご入居者自身も地域イベントに参加。その活動の影響もあって、レクリエーションのバリエーションも増えており、ボランティアによる、落語や楽器演奏、フラワーアレンジメントなども行われている。

▼ ハード面の充実

居室の広さ	機能訓練室の有無	グループケアの実施	浴室環境の充実
◎			◎

▼ ソフト面の充実

人員配置の充実	要介護者 1.5 名に対し常勤職員 1 人を配置。手厚い職員配置。
介護福祉士率	介護士に占める介護福祉士取得率が 90％を超えている。

▼ 相談員の評価

職員の接遇態度の良さ	運営会社が職員教育に力を入れており接遇態度の良さは評判のホーム。
施設長の受け入れに対する積極性	困難事例でも親身に相談に乗ってくれる。
個別対応力	開設 10 年、地域交流も盛んでご入居者も居心地良く、生きがいを感じられると評判。

※ 2023 年 4 月 1 日の重要事項説明書等によるデータ

㊥ そんぽの家S諏訪

大阪府大阪市城東区諏訪 2-5-25
☎ 06-6964-6060

🏠 全64室

【アクセス】JR 片町線「放出」駅より徒歩 10 分、大阪メトロ中央線「深江橋」駅より徒歩 8 分
【運営会社】ＳＯＭＰＯケア株式会社
【利用料金】入居一時金なし、月額利用料 127,430 円

2014 年に開業されたそんぽの家S諏訪。2022 年 9 月には訪問看護ステーションが併設された。訪問看護ステーションが開設されたことで、より近くで専門的な視点で、ご入居者の健康状態の観察・管理が行えるようになった。チームワークで介護を行っている同ホームでは、より連携の強化が図れ、ご入居者に寄り添った介護を行っている。立地条件も良く、近隣にはスーパーやコンビニ、レストラン、喫茶店などもある。

▼ ハード面の充実

居室の広さ	機能訓練室の有無	グループケアの実施	浴室環境の充実
◎			◎

▼ ソフト面の充実

人員配置の充実	サービス付き高齢者向け住宅でありながら、要介護者 1.4 名に対し常勤職員 1 人配置と手厚い人員配置。
介護福祉士率	介護士に占める介護福祉士取得率が 90％を超えており、スキルの高い職員が多い。
看取り能力の高さ	看護師配置は日中のみだが、医療機関や薬局との連携により看取り実績多。

▼ 相談員の評価

職員の接遇態度の良さ	運営会社が職員教育に力を入れており接遇態度の良さは評判のホーム。
個別対応力	多種多様なレクリエーションを実施しており、ご入居者からの評価も高い。

※ 2022 年 10 月 1 日の重要事項説明書等によるデータ

サ そんぽの家S淡路駅前

大阪府大阪市東淀川区淡路 3 -20-26
☎ 06-6325-7701

全137室

【アクセス】阪急京都線「淡路」駅より徒歩 4 分
【運営会社】ＳＯＭＰＯケア株式会社
【利用料金】入居一時金なし、月額利用料 149,430 円～

大阪中心部からのアクセスも良好な阪急京都線「淡路」駅から徒歩 4 分の立地。駅からホームまでは屋根付きの商店街を抜けてすぐ。商店街のなかにはお買い物ができる場所や喫茶店などもあり、ご家族との時間を過ごすことができる。2022 年に訪問看護ステーションを新たに併設し、より万全な看護体制となった。毎日のラジオ体操や音楽サークル、ヨガなどのレクリエーションも定期的に実施しており、ご入居者の QOL 維持・向上に努めている。

▼ ハード面の充実

居室の広さ	機能訓練室の有無	グループケアの実施	浴室環境の充実
◎			◎

▼ ソフト面の充実

介護福祉士率	介護福祉士率が 5 割以上。スキルの高い職員が多い。
看取り能力の高さ	昨年は 16 名の看取りを実施。看取り能力は高い。
情報開示力の高さ	情報発信に力を入れておりホームのブログにて日常の様子を頻繁に更新。

▼ 相談員の評価

職員の接遇態度の良さ	困りごとがあれば相談できるコンシェルジュを配置するなど、接遇態度の良さは評判。
施設長の受け入れに対する積極性	「ご利用者様のシニアライフに彩りを」をモットーに笑顔と心のこもった待遇で入居相談に乗ってくれる。

※ 2022 年 10 月 1 日の重要事項説明書等によるデータ

有 クオレ東淀川

大阪府大阪市東淀川区豊新 2-4-9
☎ 06-6328-1150

🏠 全60室

【アクセス】阪急京都線「上新庄」駅より徒歩 13 分、大阪市営バス井高野車庫
前行き「東淀川区役所」停留所下車、徒歩 3 分
【運営会社】株式会社クオレ
【利用料金】入居一時金なし、月額利用料 164,160 円〜 166,860 円

今までのライフスタイルを尊重し「最期まで自宅で」との考えを大切にし、丁寧で心温かな介護サービスを提供している。看護師は日中の配置だが、提携医療機関や施設長、介護士との密な情報共有により看取りまで安心した暮らしができると人気。理学療法士が常駐のため、機能訓練スペースを活用した個別リハビリでの機能維持や多目的ホールでのレクリエーションはご入居者同士の集いの場としても賑わっている。

▼ ハード面の充実

居室の広さ	機能訓練室の有無	グループケアの実施	浴室環境の充実
○	◎	○	◎

▼ ソフト面の充実

人員配置の充実	契約上、要介護者 3 名に対し 1 人の直接処遇職員配置だが、実際はそれ以上の人員を配置。
夜間職員の配置	夜間は 3 名の介護士を配置。余裕を持った介護が可能。
看取り能力の高さ	昨年は 7 名の看取りを実施。看取り能力は高い。

▼ 相談員の評価

施設長の受け入れに対する積極性	困難事例であっても親身に相談に乗ってくれる。
個別対応力	理学療法士が常駐のため、個別リハビリに力を入れている。

※ 2023 年 8 月 1 日の重要事項説明書等によるデータ

そんぽの家S上新庄東

大阪府大阪市東淀川区瑞光 3-7-6
☎ 06-6328-2170

🏠 全52室

【アクセス】大阪メトロ今里筋線「瑞光四丁目」駅より徒歩 1 分
【運営会社】ＳＯＭＰＯケア株式会社
【利用料金】入居一時金なし、月額利用料 139,150 円

大阪メトロ今里筋線「瑞光四丁目」駅から徒歩 1 分と非常に便利な立地。職員定着率が非常に高く、ベテラン職員も多い。「したいのにできない」ことをサポートするために、ヒアリングをしっかりと行い、ご入居者一人一人に合ったケアプランの作成を行っている。ご入居者が普通の生活ができるように、介護士、看護師が提携医療機関と連携。ホームの外に出ることが難しいご入居者のために、ホーム内で季節が感じられる装飾を施している。

▼ ハード面の充実

居室の広さ	機能訓練室の有無	グループケアの実施	浴室環境の充実
◎			◎

▼ ソフト面の充実

人員配置の充実	サービス付き高齢者向け住宅でありながら、要介護者 1 名に対し常勤職員 1 名配置と手厚い人員配置。
職員定着率が高い	昨年度の離職率は 15％以下であり、職員の定着率が高い。
介護福祉士率	介護士に占める介護福祉士取得率が 90％を超えている。

▼ 相談員の評価

職員の接遇態度の良さ	運営会社が職員教育に力を入れており接遇態度の良さは評判のホーム。
施設長の受け入れに対する積極性	医療依存度の高い方も含め困難事例に対しても積極的に受け入れ。

※ 2022 年 10 月 1 日の重要事項説明書等によるデータ

プレザンメゾン深江橋

大阪府大阪市東成区神路 2-4-22
☎ 06-6971-2521

全80室

【アクセス】大阪メトロ中央線「深江橋」駅より徒歩約 10 分、JR 学研都市線「放出」駅より徒歩約 20 分、大阪シティバス 86 系統「北深江」停留所下車、徒歩約 5 分、大阪シティバス 22 系統「北深江」停留所・「神路」停留所下車、徒歩約 5 分
【運営会社】株式会社ケア 21
【利用料金】入居一時金なし、月額利用料 184,560 円

2012 年に開設されたホーム。大通りからも離れており、周囲は閑静な住宅街が広がっている。ホームの運営テーマである「明るく」「開放的で自由」「つながり」をモットーに運営。一人一人の時間を充実させるために、性格や価値観、生活歴を尊重してなるべく自由で制限のない生活や過ごし方ができるよう工夫している。日中は看護師が常駐しており、急な体調の変化などにも対応可能。また、看取りについても対応が可能で、ご入居者、ご家族の方もご納得いただけるよう、最期までサポートしている。

▼ ハード面の充実

居室の広さ	機能訓練室の有無	グループケアの実施	浴室環境の充実
○	◎		◎

▼ ソフト面の充実

人員配置の充実	契約上、要介護者 2.5 名に対し 1 人の直接処遇職員配置だが、実際はそれ以上の人員を配置。
職員定着率が高い	昨年度の離職率は 5％以下と低い。職員の定着率が高い。
看取り能力の高さ	昨年は 10 名の看取りを実施。看取り能力は高い。

▼ 相談員の評価

職員の接遇態度の良さ	同社は職員に対する接遇教育にたいへん力を入れている。
個別対応力	一人一人の性格や価値観、生活歴を尊重し、可能な限り自由な生活ができるように工夫している。

※ 2023 年 6 月 1 日の重要事項説明書等によるデータ

有 ファイン舎利寺

大阪府大阪市生野区勝山南 4-14-12
☎ 06-6741-7773

全55室

【アクセス】JR 大阪環状線「桃谷」駅より徒歩 20 分
【運営会社】社会福祉法人 慶生会
【利用料金】入居一時金 900,000 円（保証金 200,000 円含む）、月額利用料 188,220 円
　　　　　～ 268,220 円

特長は「適切なリハビリ」と「安心・快適な暮らし」。機能訓練指導員が個別のリハビリを実施しており、アクアプール、源泉かけ流し温泉での集団リハビリも実施。病院から退院したあと、集中してリハビリを受けたいというような要望にも応えて 1 カ月だけの短期入居も可能。訪問診療・訪問リハビリを組み合わせて使用し、リハビリ病院に入院しているような環境でリハビリを受けることができる施設。

▼ ハード面の充実

居室の広さ	機能訓練室の有無	グループケアの実施	浴室環境の充実
○	◎		◎

▼ ソフト面の充実

職員定着率が高い	運営法人は職員教育に力を入れており、職員の定着率は高い。
介護福祉士率	介護福祉士率が 5 割以上。スキルの高い職員が多い。
看取り能力の高さ	昨年は 6 名以上の看取りを実施。看取り能力は高い。

▼ 相談員の評価

職員の接遇態度の良さ	法人全体が職員教育に力を入れており職員の接遇態度は良い。
施設長の受け入れに対する積極性	困難事例でも親身になって相談に乗ってくれる。
アクティビティ活動の充実	たくさんのニーズに応えられるよう、数多くのイベントを取りそろえている。

※ 2022 年 7 月 1 日の重要事項説明書等によるデータ

有 そんぽの家　天王寺

大阪府大阪市東住吉区桑津 1-7-30
☎ 06-4301-1165

全71室

【アクセス】JR 大阪環状線「寺田町」駅より徒歩 10 分
【運営会社】ＳＯＭＰＯケア株式会社
【利用料金】入居一時金なし、月額利用料 185,880 円

地域の方々の協力もあり、書道教室や音楽、舞踏の鑑賞会、お花見や夏祭りなどのレクリエーション活動を頻繁に実施。極力入院をさせないように日々の経過観察に力を入れている。介護士による、日々の経過観察をはじめ、看護師による健康管理、提携医療機関との連携により、体調を崩した場合でも症状の軽いうちに対応できるよう心掛けている。「カスタムメイドケア」により、その人らしい生活が続けられるよう、日々のヒアリングを行っている。

▼ ハード面の充実

居室の広さ	機能訓練室の有無	グループケアの実施	浴室環境の充実
○			◎

▼ ソフト面の充実

人員配置の充実	要介護者 2.2 名に対し 1 人の直接処遇職員を配置。
職員定着率が高い	昨年度の離職率は 15％以下であり、職員の定着率は高い。
情報開示力の高さ	ホームのブログは頻繁に更新しており、情報発信に力を入れている。

▼ 相談員の評価

職員の接遇態度の良さ	オンライン研修のほか、介護技術の向上や福祉用具の効果的な使用についてなど職員の研修にも力を入れている。
認知症対応力が高い	介護士による日々の様子の観察や看護師による健康管理で認知症対応力も高い。

※ 2023 年 4 月 1 日の重要事項説明書等によるデータ

（サ）ブランシエールケア都島

大阪府大阪市都島区善源寺町 2-2-88
☎ 0120-385-662

全66室

【アクセス】大阪メトロ谷町線「都島」駅より徒歩 7 分
【運営会社】株式会社長谷工シニアウェルデザイン
【利用料金】多様な料金制度のため詳細は同社 HP にてご確認ください。

変わりゆく介護業界で日々新しい情報を入手し、同ホームではノーリフティング委員会が中心となりご入居者の安心安全な移乗方法として、スタンディングリフトや吊り上げ式リフト、スライディングボードなどの福祉用具を活用している。徒歩圏内にスーパーや医療機関があり、また梅田へのアクセスも良くご家族と外出しやすい環境にある。24 時間看護師常駐や医療機関との連携、病院への付き添いサービス等ご入居者に寄り添った人気のホーム。

▼ ハード面の充実

居室の広さ	機能訓練室の有無	グループケアの実施	浴室環境の充実
◎	◎	○	◎

▼ ソフト面の充実

人員配置の充実	サービス付き高齢者向け住宅でありながら、要介護者 1.2 名に対し常勤職員 1 人配置と手厚い人員配置。
医療対応力	24 時間看護師常駐。
介護福祉士率	介護士に占める介護福祉士取得率が高く、スキルの高い職員がそろう。
看取り能力の高さ	昨年は 6 名の看取りを実施。24 時間看護師常駐体制で看取り能力は高い。

▼ 相談員の評価

施設長の受け入れに対する積極性	医療依存度の高い方の受け入れにも積極的。困難事例でも受け入れに真摯に向き合ってくれる施設長の積極性も評判。
アクティビティ活動の充実	専門職員による多彩なアクティビティを実施。楽しむだけではなく、五感を刺激するような工夫を凝らし、頭と身体を活性化。

※ 2023 年 4 月 1 日の重要事項説明書等によるデータ

有 そんぽの家　城北

大阪府大阪市都島区大東町 3-5-19
☎ 06-6926-2070

全44室

【アクセス】JR おおさか東線「城北公園通」駅より徒歩6分
【運営会社】ＳＯＭＰＯケア株式会社
【利用料金】入居一時金なし、月額利用料 221,310 円

JR おおさか東線「城北公園通」駅より徒歩約6分と好立地。アットホームで活気のあるホーム。近隣にはスーパーなどの生活利便施設が多く立ち並び、お買い物も便利。居室内にキッチンを備えているため、軽介護の方はスーパーなどで買い物をして、調理するのもお勧め。今年からは認知症サポーター研修を受けた地域のボランティアの方たちと認知症カフェを月1回開催し、地域の方々と交流している。昨年度の☆に続き、本年度は☆☆を獲得。

▼ ハード面の充実

居室の広さ	機能訓練室の有無	グループケアの実施	浴室環境の充実
◎			◎

▼ ソフト面の充実

職員定着率が高い	運営会社が職員教育に力を入れており、職員定着率は高い。
介護福祉士率	介護士に占める介護福祉士取得率が高く、スキルの高い職員がそろう。
看取り能力の高さ	昨年は6名の看取りを実施。看取り能力は高い。

▼ 相談員の評価

職員の接遇態度の良さ	接遇態度の良さは日本シニア住宅相談員からも評価が高いホーム。
施設長の受け入れに対する積極性	ご入居者の人生に長く寄り添うホームを目指し困難事例でも親身に相談に乗ってくれる。
認知症対応力が高い	認知症サポーター研修を受けた地域のボランティアの方たちと認知症カフェを開催するなど認知症対応に力を入れている。
個別対応力	アクティビティも豊富で雰囲気の良いホーム。日々明るく楽しく過ごせる。

※ 2022 年 10 月 1 日の重要事項説明書等によるデータ

有 そんぽの家　真田山

大阪府大阪市天王寺区舟橋町 3-4
☎ 06-6763-0461

🏠 全32室

【アクセス】JR 大阪環状線・近鉄奈良線「鶴橋」駅より徒歩約 5 分、大阪メト
　　　　　　ロ千日前線「鶴橋」駅より徒歩約 4 分
【運営会社】ＳＯＭＰＯケア株式会社
【利用料金】入居一時金なし、月額利用料 279,630 円〜

充実の職員研修を実施しているホーム。独自の職員研修を開催しており、
認知症ケアやコミュニケーション等のさまざまな事柄を取り上げてご入
居者へのケア向上に努めている。そのためご入居者と職員が密度の高い
関係性を築いている。ICT の導入も進んでおり、館内には無料の Wi-Fi
が通っており、ご入居者は自由に利用することが可能。ホームでは食に
関しての催しや体験型の催しなど、多岐にわたる内容を企画し、ご入居
者は笑顔で参加している。

▼ ハード面の充実

居室の広さ	機能訓練室の有無	グループケアの実施	浴室環境の充実
◎			◎

▼ ソフト面の充実

介護福祉士率	介護福祉士率が 5 割以上。スキルの高い職員が多い。
夜間職員の配置	ご入居者に対し十分な夜間人員体制を整えている。
情報開示力の高さ	情報発信に力を入れておりホームのブログにて日常の様子を頻繁に更新。

▼ 相談員の評価

職員の接遇態度の良さ	定期的に行っている職員研修にて専門的な認知症ケアやホスピタリティに至るまでケアの品質向上に注力している。
施設長の受け入れに対する積極性	真剣に介護に向き合う施設長がご入居者、ご家族の相談に丁寧に対応してくれる。

※ 2023 年 4 月 1 日の重要事項説明書等によるデータ

有 コンシェール阿倍野

大阪府大阪市阿倍野区旭町 1-3-11
☎ 06-6645-1055

全88室

【アクセス】大阪メトロ御堂筋線「天王寺」駅・近鉄「大阪阿部野橋」駅より
　　　　　　徒歩 4 分、JR「天王寺」駅より徒歩 7 分
【運営会社】株式会社リエイ
【利用料金】多様な料金制度のため詳細は同社 HP にてご確認ください。

大阪市の南の玄関口「天王寺」に位置しており、周辺には大型病院、大型ショッピングモール等もあり立地面では抜群。ご家族の来訪にもたいへん便利。経験豊富な職員が多数在籍しており、個人のライフスタイルを尊重し、温かな「快護」を提供している。リエイ独自のリラクゼーションサービスである「ロイヤルセラピー」はたいへん人気。機能訓練指導員が独自にアレンジしたフットケアやハンドケア等を受けることが可能。昨年の☆☆に続き、本年度も☆☆を獲得。

▼ ハード面の充実

居室の広さ	機能訓練室の有無	グループケアの実施	浴室環境の充実
◎	◎	○	◎

▼ ソフト面の充実

人員配置の充実	要介護者 2 名に対し常勤職員 1 人配置と手厚い人員配置。
介護福祉士率	介護士に占める介護福祉士取得率が高く、スキルの高い職員がそろう。
夜間職員の配置	夜間は 6 名の介護士が常駐しており安心。
看取り能力の高さ	昨年は 12 名の看取りを実施。看取り能力は高い。

▼ 相談員の評価

職員の接遇態度の良さ	運営会社が職員教育に力を入れていることもあり、接遇態度の良さは評判。
施設長の受け入れに対する積極性	施設長は困難事例でも受け入れに関し積極的に相談に乗ってくれる。
アクティビティ活動の充実	身体だけでなく心にも健康を運ぶ食事専任の栄養士がご入居者の体調を考えた献立で食事を提供。食事の評判が良い。

※ 2023 年 4 月 1 日の重要事項説明書等によるデータ

179

㊲ そんぽの家　西田辺駅前

大阪府大阪市阿倍野区西田辺町 1-1-21
☎ 06-6609-7878

全42室

【アクセス】大阪メトロ御堂筋線「西田辺」駅より徒歩約 2 分
【運営会社】ＳＯＭＰＯケア株式会社
【利用料金】入居一時金なし、月額利用料 240,070 円～

2007 年に開設。ご入居者が自身でできることはできる限り行い、現状の機能はできる限り損なわないように、日常生活から自立支援をサポートしている。アクティビティ活動も充実しており、対面やオンラインなどでさまざまなレクリエーションを実施。週 1 回、コーヒーを楽しむレクリエーションも行っている。日中は看護師が常駐しており、近隣の協力医療機関とも連携し、医療依存度の高い方でも安心して過ごすことができる。

▼ ハード面の充実

居室の広さ	機能訓練室の有無	グループケアの実施	浴室環境の充実
◎			◎

▼ ソフト面の充実

人員配置の充実	契約上、要介護者 3 名に対し 1 人の直接処遇職員配置だが、実際はそれ以上の人員を配置。
職員定着率が高い	昨年度の離職率は 6％程度と低めであり、職員の定着率が高い。
介護福祉士率	介護福祉士が 7 割以上とスキルの高い職員が多い。

▼ 相談員の評価

職員の接遇態度の良さ	運営会社が職員教育に力を入れており接遇態度の良さは評判のホーム。
アクティビティ活動の充実	空いたスペースで機能訓練を行うなど、ご入居者が持つ能力を損なわないように自立支援をサポート。

※ 2023 年 5 月 1 日の重要事項説明書等によるデータ

㋛ 南海ライフリレーション あびこ道

全90室

大阪府大阪市住吉区清水丘 3-14-81
☎ 0120-648-500

【アクセス】阪堺電気軌道阪堺線「我孫子道」駅より徒歩 1 分
【運営会社】南海ライフリレーション株式会社
【利用料金】入居一時金なし、月額利用料 171,300 円〜

下町情緒が溢れる地域にあるホーム。阪堺電気軌道阪堺線「我孫子道」駅から徒歩 1 分と好立地。安心・安全・快適に配慮したホーム作りを目指して運営を行っている。日中は看護師が常駐しており、緊急時は提携の医療機関と連携しているため安心。職員教育にも熱心に取り組み安全なホーム運営を行い、一人一人が快適に過ごせるよう配慮している。安心・安全・快適なホーム作りをすることにより、「最幸」のサービスを提供している。

▼ ハード面の充実

居室の広さ	機能訓練室の有無	グループケアの実施	浴室環境の充実
○		○	◎

▼ ソフト面の充実

人員配置の充実	サービス付き高齢者向け住宅でありながら、要介護者 2 名に対し常勤職員 1 人配置と手厚い人員配置。
介護福祉士率	介護福祉士率が 5 割以上。スキルの高い職員が多い。
看取り能力の高さ	昨年は 10 名以上の看取りを実施。看取り能力は高い。
情報開示力の高さ	ホームのブログを頻繁に更新しており、情報発信に力を入れている。

▼ 相談員の評価

職員の接遇態度の良さ	運営会社が職員教育に力を入れていることもあり、接遇態度の良さは評判。

※ 2022 年 11 月 1 日の重要事項説明書等によるデータ

(有) そんぽの家　我孫子東

大阪府大阪市住吉区我孫子東 1-9-13
☎ 06-6695-3250

🏠 全49室

【アクセス】大阪メトロ御堂筋線「あびこ」駅より徒歩 6 分、JR 阪和線「我孫子町」駅より徒歩 6 分
【運営会社】ＳＯＭＰＯケア株式会社
【利用料金】入居一時金なし、月額利用料 160,740 円～

アクティビティ活動に力を入れているホーム。長い間のコロナ禍であっても、ご入居者のニーズに応えるためにオンラインでアクティビティを導入。そのほかにも、さまざまなアクティビティを実施しており、ご入居者の QOL の向上に努めている。日中には看護師が常駐し、医療依存度の高い方も入居可能。大阪メトロ御堂筋線「あびこ」駅から徒歩で約 6 分、JR 阪和線「我孫子町」駅からも徒歩で約 6 分と 2 駅利用可能の好立地で、近隣にはスーパーなどもあり非常に便利なためご家族の方も通いやすい立地も特長。

▼ ハード面の充実

居室の広さ	機能訓練室の有無	グループケアの実施	浴室環境の充実
○		○	◎

▼ ソフト面の充実

職員定着率が高い	在籍職員の勤続年数が平均約 7 年と職員定着率は高い。
介護福祉士率	介護士に占める介護福祉士取得率が高く、スキルの高い職員がそろう。
看取り能力の高さ	昨年は 6 名の看取りを実施。看取り能力は高い。
情報開示力の高さ	情報発信に力を入れておりホームのブログにて日常の様子を頻繁に更新。

▼ 相談員の評価

認知症対応力が高い	運営会社は認知症ケアに力を入れており、認知症対応力は高い。

※ 2023 年 1 月 1 日の重要事項説明書等によるデータ

㋚ そんぽの家S長居

大阪府大阪市住吉区大領 5-1-5
☎ 06-4700-7760

🏠 全31室

【アクセス】 大阪メトロ御堂筋線「長居」駅より徒歩6分、JR阪和線「長居」駅
より徒歩5分
【運営会社】 ＳＯＭＰＯケア株式会社
【利用料金】 入居一時金なし、月額利用料 146,700 円〜

大阪メトロ御堂筋線「長居」駅から徒歩6分、JR阪和線「長居」駅から徒歩約5分と立地は抜群。近くには商店街や公園などがあり、散歩などにも最適。アクティビティ活動を重視しており、講師を招待しての体操教室や勉強会、地域で活躍するアクティブシニアの皆さまとの連携などを積極的に行っている。「安心して」「安全に」みんなが笑顔で過ごせるホーム。

▼ ハード面の充実

居室の広さ	機能訓練室の有無	グループケアの実施	浴室環境の充実
◎			◎

▼ ソフト面の充実

人員配置の充実	サービス付き高齢者向け住宅でありながら、平均以上の手厚い人員配置。
職員定着率が高い	アットホームな雰囲気。職員の定着率がとても高い。
介護福祉士率	介護福祉士率が7割以上。スキルの高い職員が多い。

▼ 相談員の評価

職員の接遇態度の良さ	運営会社が職員教育に力を入れており接遇態度の良さは評判のホーム。

※ 2023 年 4 月 1 日の重要事項説明書等によるデータ

大阪府

大阪市

そんぽの家S長居公園

大阪府大阪市住吉区長居東 3-18-33
☎ 06-6696-9810

全47室

【アクセス】大阪メトロ御堂筋線「長居」駅より徒歩6分
【運営会社】ＳＯＭＰＯケア株式会社
【利用料金】入居一時金なし、月額利用料 146,150 円

郵便局、スーパー、医療機関など利便性が良い立地で、ご家族も訪問しやすい環境。生活の質を上げるための日々の楽しみとして、趣味活動にはかなり力を入れている。最近では「またお化粧を楽しみたい」というご入居者の声に応え、美容イベントを実施。今ではたいへん人気なイベントとなった。名前の通り長居公園から徒歩約5分に位置しているため、お花を見に行くイベントが行われるほか、気分転換の散歩コースとなっている。

▼ ハード面の充実

居室の広さ	機能訓練室の有無	グループケアの実施	浴室環境の充実
◎			◎

▼ ソフト面の充実

人員配置の充実	サービス付き高齢者向け住宅でありながら、平均以上の手厚い人員配置。
職員定着率が高い	昨年度の離職率は 10％程度と低く、職員の定着率が高い。
介護福祉士率	介護士に占める介護福祉士取得率は 70％を超えており、スキルと意欲の高い職員がそろう。
情報開示力の高さ	ホームのブログは頻繁に更新しており、情報発信に力を入れている。

▼ 相談員の評価

職員の接遇態度の良さ	運営会社が職員教育に力を入れていることもあり、接遇態度の良さは評判。
個別対応力	ご入居者のこれまでの生活や関わりなどを大切にしてくれるホーム。

※ 2023 年 4 月 1 日の重要事項説明書等によるデータ

(有) ブランシエールケア
長居公園

🏠 全41室

大阪府大阪市住吉区長居東 1-27-20
☎ 0120-020-105

【アクセス】大阪メトロ御堂筋線「長居」駅より徒歩 13 分
【運営会社】株式会社 長谷工シニアウェルデザイン
【利用料金】多様な料金制度のため詳細は同社 HP にてご確認ください。

街中にたたずみながら、長居公園にも近く過ごしやすい住環境。1 階には協力医療機関のクリニックが併設されており、緊急時でも安心して過ごすことができる。サービスコンセプトとして「心身の健康」「自分時間」「ときめき」を掲げている。ご入居者の「自分らしい暮らし」を支援するために「顔の見えるケアプラン」を作成し、それに基づきすべての職員が一丸となりサポートを実施。

▼ ハード面の充実

居室の広さ	機能訓練室の有無	グループケアの実施	浴室環境の充実
◎			◎

▼ ソフト面の充実

人員配置の充実	契約上、要介護者 3 名に対し 1 人の直接処遇職員を配置だが、実際はそれ以上の人員を配置。
職員定着率が高い	運営会社全体が職員教育に力を入れており定着率の高さを実現。
介護福祉士率	介護士に占める介護福祉士取得率が高く、スキルの高い職員がそろう。
看取り能力の高さ	昨年は 7 名の看取りを実施。看取り能力は高い。

▼ 相談員の評価

職員の接遇態度の良さ	職員の接遇態度の良さが評価されている。
施設長の受け入れに対する積極性	困難事例であっても積極的に相談に乗ってくれる。

※ 2022 年 10 月 1 日の重要事項説明書等によるデータ

大阪府

大阪市

185

有 そんぽの家　加島駅前

大阪府大阪市淀川区加島 3-2-19
☎ 06-6309-7230

🏠 全54室

【アクセス】JR 東西線「加島」駅より徒歩 2 分
【運営会社】ＳＯＭＰＯケア株式会社
【利用料金】入居一時金なし、月額利用料 207,330 円

JR 東西線「加島」駅から徒歩 2 分の立地。兵庫方面・大阪方面からのアクセスが可能。全国の SOMPO ケアの職員から選ばれた介護プライドマイスターが在籍しており、経験豊富な職員が生活をサポートしている。ICT 導入も進んでおり、睡眠センサー等によりご入居者の体調変化にもすぐに気づくことが可能。そのほかにも介助浴槽や再加熱カートなどの導入で、ご入居者へ安全・安心の生活を提供している。

▼ ハード面の充実

居室の広さ	機能訓練室の有無	グループケアの実施	浴室環境の充実
◎			◎

▼ ソフト面の充実

人員配置の充実	要介護者 2 名に対し 1 人の直接処遇職員を配置。
職員定着率が高い	運営会社が職員教育に力を入れており、定着率の高さを実現。
看取り能力の高さ	日中のみの看護師配置でありながら、訪問診療医とうまく連携し看取り実績は多く能力は高い。
情報開示力の高さ	運営会社が情報発信に力を入れておりホームのブログを頻繁に更新。

▼ 相談員の評価

施設長の受け入れに対する積極性	テクノロジーの導入と活用で安心安全の生活を一人一人に提供できるよう工夫。

※ 2023 年 1 月 1 日の重要事項説明書等によるデータ

有 マイステージ・桜花

大阪府大阪市北区菅栄町 5-4
☎ 06-6232-8251

🏠 全30室

【アクセス】大阪メトロ谷町線・堺筋線「天神橋筋六丁目」駅より徒歩5分
【運営会社】一般財団法人 成研会
【利用料金】多様な料金制度のため詳細は同社HPにてご確認ください。

「豊かに時を重ねながら、人生を謳歌していただきたい」そんな思いを込めて開設されたホーム。立地も申し分なく駅から徒歩5分程度で、徒歩圏内には日本一長いと言われている天神橋筋商店街や大川沿いの緑の遊歩道などがある。病院が母体であるだけに安心感は抜群。1階には歯科医院が併設されており、訪問診療も可能。ケアを意識しない「生活リハビリ」という暮らしを大事にしており、単に機能訓練をするだけではなく、理学療法士と協力し、職員が生活環境を整えている。

▼ ハード面の充実

居室の広さ	機能訓練室の有無	グループケアの実施	浴室環境の充実
◎	◎	○	◎

▼ ソフト面の充実

人員配置の充実	要介護者2名に対し1人の直接処遇職員を配置。手厚い職員配置。
介護福祉士率	介護福祉士率が9割以上。スキルの高い職員が多い。
リハビリ専門職の配置	グループ所属の理学療法士と協力しており、機能訓練に加えて生活環境も改善。
夜間職員の配置	ご入居者に対し十分な夜間人員体制を整えている。

▼ 相談員の評価

職員の接遇態度の良さ	職員研修を定期的に行っており、提供するケアの品質の向上に注力している。

※ 2022年7月1日の重要事項説明書等によるデータ

有 SOMPO ケア
ラヴィーレ南堀江

全120室

大阪府大阪市西区南堀江 4-30-4
☎ 06-4391-1165

【アクセス】大阪メトロ千日前線・長堀鶴見緑地線「西長堀」駅より徒歩 8 分、阪神なんば線「ドーム前」駅・大阪メトロ長堀鶴見緑地線「ドーム前千代崎」駅より徒歩 7 分
【運営会社】ＳＯＭＰＯケア株式会社
【利用料金】多様な料金制度のため詳細は同社 HP にてご確認ください。

専用のリハビリルームを設けて機能訓練指導員（理学療法士）とほかの職員が連携して、リハビリを提供。「立つ」「座る」などの日常生活動作であっても、その方が持つ筋力を最大限に活かすことを目的とした「生活リハビリ」にも力を入れている。8 階には庭園があり、都会の中でも緑を感じることが可能。庭園には家庭菜園もあり、野菜などが育っており、ご入居者も収穫を手伝っている。昨年の☆☆に続き、本年度も☆☆を獲得。

▼ ハード面の充実

居室の広さ	機能訓練室の有無	グループケアの実施	浴室環境の充実
○	◎		○

▼ ソフト面の充実

職員定着率が高い	調査時の離職率は 15％と低く、職員定着率は高い。
リハビリ専門職の配置	理学療法士が 3 名在籍。ご入居者の身体状況に応じた生活リハビリを実施。
看取り能力の高さ	昨年は 18 名の看取りを実施。看取り能力は相当高い。

▼ 相談員の評価

職員の接遇態度の良さ	運営会社が職員教育に力を入れており接遇態度の良さは評判のホーム。
施設長の受け入れに対する積極性	ご入居者の情報共有をしっかりと行い、困難事例でも親身に相談に乗ってくれる。
認知症対応力が高い	介護士による日々の様子の観察や看護師による健康管理で認知症対応力も高い。
個別対応力	食後ゆっくりコーヒーを楽しみながらくつろげるカフェスペースもあり居心地の良い空間を創り出している。

※ 2023 年 4 月 1 日の重要事項説明書等によるデータ

有 そんぽの家　なんば

大阪府大阪市浪速区稲荷 1-12-7
☎ 06-6568-2203

🏠 全47室

【アクセス】JR 大和路線「難波」駅より徒歩 10 分、大阪メトロ千日前線「桜川」
駅より徒歩 13 分、JR 環状線「芦原橋」駅より徒歩 12 分
【運営会社】ＳＯＭＰＯケア株式会社
【利用料金】入居一時金なし、月額利用料 274,360 円

浪速公園の目の前にあり、コンビニやスーパー、郵便局も近く、利便性
は抜群。JR 難波駅からも徒歩圏内とアクセスも良好。職員定着率が非
常に高く、ベテラン職員が多く在籍している。SOMPO ケアならではの
「カスタムメイドケア」で、一人一人に合わせた最適なケアを実施。季
節に合わせたアクティビティ活動も行い、ご入居者が楽しめるようなイ
ベントを企画している。

▼ ハード面の充実

居室の広さ	機能訓練室の有無	グループケアの実施	浴室環境の充実
○		◎	◎

▼ ソフト面の充実

人員配置の充実	契約上、要介護者 3 名に対し 1 人の直接処遇職員を配置だが、実際はそれ以上の人員を配置。
職員定着率が高い	ホスピタリティ溢れる職員が多数在籍し職員の定着率がとても高い。
看取り能力の高さ	隣接している往診医と連携しているため、看取り実績が多い。

▼ 相談員の評価

職員の接遇態度の良さ	施設長をはじめ、明るく丁寧な対応を実施。
アクティビティ活動の充実	春には桜、秋にはイチョウなどで四季を感じながらの散歩や、近くのスーパーへの買い物などご入居者が楽しめるような工夫を凝らしている。

※ 2022 年 10 月 1 日の重要事項説明書等によるデータ

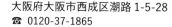 ㈲ そんぽの家　岸里

大阪府大阪市西成区潮路 1-5-28
☎ 0120-37-1865

🏠 全47室

【アクセス】大阪メトロ四つ橋線「岸里」駅より徒歩 5 分
【運営会社】ＳＯＭＰＯケア株式会社
【利用料金】入居一時金なし、月額利用料 141,030 円〜

勤続年数 10 年以上の介護士・看護師が所属しており、変わらない職員が安心を提供。近隣にはスーパーや公園などもあり、沿線近くのため、ご家族も訪問しやすい環境。ホームでは岸里園芸部を発足させ、花や野菜の栽培を楽しんでおり、低価格ながらもご入居者一人一人の暮らしを大切にしている。2 カ月に 1 度の訪問漬物販売の日があり、ご入居者同士で勧め合い、楽しい時間を過ごしている。

▼ ハード面の充実

居室の広さ	機能訓練室の有無	グループケアの実施	浴室環境の充実
○	◎	◎	◎

▼ ソフト面の充実

職員定着率が高い	職員教育に力を入れているため調査時の離職率は 6％程度ととても低い。
介護福祉士率	介護福祉士率が 8 割程度、スキルの高い職員が多い。
情報開示力の高さ	運営会社が情報発信に力を入れておりホームのブログを頻繁に更新。

▼ 相談員の評価

職員の接遇態度の良さ	運営会社が職員教育に力を入れており接遇態度の良さは評判。
施設長の受け入れに対する積極性	困難事例であっても前向きに相談に乗ってくれると定評がある。
認知症対応力が高い	運営会社が認知症教育に力を入れており認知症対応力が高い。

※ 2022 年 10 月 1 日の重要事項説明書等によるデータ

㉚ そんぽの家S天下茶屋

大阪府大阪市西成区花園南 2-5-10
☎ 06-6655-5711

全75室

【アクセス】大阪メトロ堺筋線「天下茶屋」駅、南海高野線・本線「天下茶屋」駅より徒歩3分
【運営会社】ＳＯＭＰＯケア株式会社
【利用料金】入居一時金なし、月額利用料 132,700 円

徒歩圏内に最寄り駅やスーパー、商店街、公園、病院などがあり住環境は非常に良い。月に1回介護保険サービスを受けていないご入居者への訪問を行っており、体調の変化や日常生活での困りごとがないかどうかのヒアリングを実施し、関係の構築に努めている。アクティビティ活動にも力を入れており、子ども食堂などを開催。サービス付き高齢者向け住宅ではあるが、人員配置率などは介護付有料老人ホームと遜色なく安心して過ごすことができるホーム。

▼ ハード面の充実

居室の広さ	機能訓練室の有無	グループケアの実施	浴室環境の充実
◎			◎

▼ ソフト面の充実

人員配置の充実	サービス付き高齢者向け住宅でありながら、要介護者 1.2 名に対し常勤職員1人配置と手厚い人員配置。
職員定着率が高い	運営会社が職員教育に力を入れており、職員定着率は高い。
介護福祉士率	介護福祉士率が7割以上。スキルの高い職員が多い。

▼ 相談員の評価

職員の接遇態度の良さ	「関わるすべての人が笑顔に」をモットーに職員がさまざまな職種と連携し一つのチームとしてサポートする体制が整っている。
認知症対応力が高い	運営会社は認知症ケアに力を入れており、認知症対応力は高い。

※ 2023 年 1 月 1 日の重要事項説明書等によるデータ

㈲ そんぽの家　天下茶屋駅前

大阪府大阪市西成区花園南 2-5-1
☎ 06-6651-1084

🏠 全69室

【アクセス】大阪メトロ堺筋線「天下茶屋」駅、南海高野線・本線「天下茶屋」
　　　　　　駅より徒歩約 3 分
【運営会社】ＳＯＭＰＯケア株式会社
【利用料金】入居一時金なし、月額利用料 170,700 円

明るく笑顔の職員からサービスを受けることにより、ごく自然とご入居者にも笑顔が生まれる。そんな「好循環」を生む施設を目指して運営を行い、職員全員で取り組むチームの介護を実現している。アクティビティ専門の介護士やハンドマイスターなども在籍し、日常にちょっとした彩りを添えてくれる。レクリエーションとして、近隣施設との交流や季節に合ったイベントなども開催しており、ご入居者が笑顔になるようなアクティビティ活動が行われている。

▼ ハード面の充実

居室の広さ	機能訓練室の有無	グループケアの実施	浴室環境の充実
○	◎	○	◎

▼ ソフト面の充実

職員定着率が高い	運営会社が職員教育に力を入れており、職員定着率は高い。
介護福祉士率	介護士に占める介護福祉士取得率が高い。
看取り能力の高さ	看護師配置は日中のみだが、介護士との連携により看取り実績は多い。

▼ 相談員の評価

施設長の受け入れに対する積極性	医療依存度の高い方も含め困難事例に対しても積極的に受け入れ。
認知症対応力が高い	運営会社のノウハウの蓄積により認知症対応力は高い。

※ 2023 年 4 月 1 日の重要事項説明書等によるデータ

有 ラ・ナシカ すみのえ

大阪府大阪市住之江区北加賀屋 5-4-34
☎ 06-6681-5551

全80室

【アクセス】大阪メトロ四つ橋線「北加賀屋」駅より徒歩8分
【運営会社】株式会社シダー
【利用料金】多様な料金制度のため詳細は同社 HP にてご確認ください。

大阪市内にありながら、公園や神社がすぐ近くにあり、散策などに適した環境のホーム。最寄り駅からも徒歩8分と利便性の良さも特長の一つ。日中は看護師が常駐しており、医療依存度の高いご入居者も受け入れ可能。運営会社のモットーは「地域のリハビリセンター」。そのため、リハビリテーションを重視した介護サービスを実施している。レクリエーションも充実しており、介護付有料老人ホームにしては珍しくシアタールームやカラオケルーム、図書会議室なども完備している。

▼ ハード面の充実

居室の広さ	機能訓練室の有無	グループケアの実施	浴室環境の充実
○	◎	○	◎

▼ ソフト面の充実

介護福祉士率	介護福祉士率が9割以上。スキルの高い職員が多い。
夜間職員の配置	夜間は3名の介護士が常駐。
看取り能力の高さ	昨年は8名の看取りを実施。看取り能力は高い。

▼ 相談員の評価

施設長の受け入れに対する積極性	医療依存度の高い方も含め困難事例であっても積極的に受け入れ。
アクティビティ活動の充実	リハビリテーションを重視した介護サービスで心身ともに健康をサポート。

※ 2023 年 2 月 1 日の重要事項説明書等によるデータ

有 そんぽの家　北加賀屋

大阪府大阪市住之江区東加賀屋 1-10-6
☎ 06-4702-5599

🏠 全30室

【アクセス】大阪メトロ四つ橋線「北加賀屋」駅より徒歩約 6 分
【運営会社】ＳＯＭＰＯケア株式会社
【利用料金】入居一時金なし、月額利用料 203,930 円〜

大阪メトロ四つ橋線「玉出」駅と「北加賀屋」駅の中間にあり、双方の駅から徒歩 6 分とご家族にとっても便利な立地。同ホームではご入居者の身体機能の回復に注力しており、柔道整復師指導のもと、器具を使用して機能訓練を受けることが可能。美容や習字、ヨガ、買い物といった定期レクリエーション以外にも、季節に応じた職員によるレクリエーションを実施している。ご入居者の要望や趣味をうかがいながら地域のボランティアの方と連携し、「楽しみ」をコンセプトとして何か新しいレクリエーションができないかを模索している。

▼ ハード面の充実

居室の広さ	機能訓練室の有無	グループケアの実施	浴室環境の充実
◯			◎

▼ ソフト面の充実

職員定着率が高い	昨年度の離職率は 8％程度と低めであり、職員の定着率が高い。
介護福祉士率	介護士に占める介護福祉士取得率が高く、スキルの高い職員がそろう。
夜間職員の配置	ご入居者に対し十分な夜間人員体制を整えている。
看取り能力の高さ	昨年は 7 名の看取りを実施。看取り能力は高い。

▼ 相談員の評価

認知症対応力が高い	ホーム一丸となり、認知症の方や要介護度が高い方もご入居者の状態に応じた適切なケアを提供するよう工夫。

※ 2023 年 1 月 1 日の重要事項説明書等によるデータ

大阪府

大阪市

有 クオレ西淀川

大阪府大阪市西淀川区中島 1-19-43
☎ 06-6478-8680

全50室

【アクセス】阪神なんば線「出来島」駅より徒歩20分
【運営会社】株式会社クオレ
【利用料金】入居一時金なし、月額利用料 178,110 円

母体が介護、調剤薬局、訪問看護、配食サービスと地域に根づいたサービスを展開しており、「寄り添いの介護」を大切にし看取りまで安心した生活を送ることのできるホーム。介護士のスキルが高く、看護師と在宅医療機関との連携により、医療依存度の高い方も安心。ご入居者のことを一番に考え、最適なサービスと楽しいレクリエーションや外出などを行い、自然と行うリハビリにより生活の質が上がる。「笑顔」を大切に「ホッとできる空間」を提供している。

▼ ハード面の充実

居室の広さ	機能訓練室の有無	グループケアの実施	浴室環境の充実
○		◎	◎

▼ ソフト面の充実

職員定着率が高い	運営会社の教育体制も充実しており、調査時離職は0名。
介護福祉士率	介護士に占める介護福祉士取得率が高く、スキルの高い職員がそろう。
看取り能力の高さ	看護師配置は日中のみだが、介護士とうまく連携し看取り実績多。看取り能力は高い。
情報開示力の高さ	ホームのブログを頻繁に更新しており、情報発信に力を入れている。

▼ 相談員の評価

施設長の受け入れに対する積極性	認知症の方や医療依存度が高い方であっても積極的に受け入れる。
認知症対応力が高い	手厚い職員配置や職員のスキルが高く、認知症の方でも過ごしやすい環境づくりが評判。
個別対応力	ご家族やご入居者からの要望にも親身に対応してくれる。

※ 2023年8月1日の重要事項説明書等によるデータ

有 ラ・ナシカ このはな

大阪府大阪市此花区西九条 1-7-9
☎ 06-6460-7115

全72室

【アクセス】JR 大阪環状線「西九条」駅より徒歩 5 分
【運営会社】株式会社シダー
【利用料金】多様な料金制度のため詳細は同社 HP にてご確認ください。

JR・阪神電鉄「西九条」駅から徒歩 5 分、ほかにも 2 駅が徒歩圏内とアクセスは抜群。運営会社はリハビリテーション強化型のデイサービスを多数運営しており、有料老人ホームでもリハビリテーションにかなりの力を入れている。看護師は 8 時半～21 時半まで在席しており、夜間についてもオンコールで対応可能。医療対応力の高さを見て取ることができる。ホームにはカラオケルーム、シアタールーム、図書室、大浴場などの共有部分の設備が充実しているのも特徴。

▼ ハード面の充実

居室の広さ	機能訓練室の有無	グループケアの実施	浴室環境の充実
○	◎	○	◎

▼ ソフト面の充実

人員配置の充実	契約上、要介護者 3 名に対し 1 人の直接処遇職員配置だが、実際はそれ以上の人員を配置。
夜間職員の配置	生活相談員含め 4 名の夜間体制。
看取り能力の高さ	昨年は 6 名の看取りを実施。看取り能力は高い。

▼ 相談員の評価

職員の接遇態度の良さ	同社は職員に対する接遇教育にたいへん力を入れている。
個別対応力	リハビリテーションを重視した介護サービスで心身ともに健康をサポート。

※ 2023 年 2 月 1 日の重要事項説明書等によるデータ

(有) グッドタイム リビング 大阪ベイ

🏠 全94室

大阪府大阪市港区弁天 1-3-3
☎ 0120-135-166

【アクセス】大阪メトロ中央線「弁天町」駅より徒歩約 1 分、JR 大阪環状線「弁天町」駅より徒歩約 5 分
【運営会社】グッドタイム リビング株式会社
【利用料金】多様な料金制度のため詳細は同社 HP にてご確認ください。

居室空間以外にサロン、パーティールーム、リビングダイニング、ファミリールーム、屋上庭園などを備え、共用施設の充実と周辺環境の充実により、快適な住環境が整ったホーム。こうした設備面だけでなく、賑わいのある毎日を送れるよう「健康的」「外出」「文化」「娯楽」「喫茶」をテーマに 5 つのクラブを用意。好みのプログラムに参加することができる。毎日の生活を充実させたい方にお勧めのホーム。

▼ ハード面の充実

居室の広さ	機能訓練室の有無	グループケアの実施	浴室環境の充実
◎	◎	○	◎

▼ ソフト面の充実

職員定着率が高い	離職率は 10％以下と低く、職員定着率が高い。
介護福祉士率	介護福祉士率が 5 割以上。スキルの高い職員が多い。
夜間職員の配置	夜間は 5 名の職員を配置。夜間でも安心。
看取り能力の高さ	15 名以上の看取りを実施。看取り能力は高い。
情報開示力の高さ	ブログの更新頻度が高く、情報発信を積極的に行っている。

▼ 相談員の評価

職員の接遇態度の良さ	「オーダーメイドケア」を意識した接遇サービス・ケアでご入居者の暮らしを支える職員体制が整っている。
施設長の受け入れに対する積極性	困難事例であっても前向きに相談に乗ってくれると定評がある。
アクティビティ活動の充実	GTC サロンにて多彩なアクティビティを実施。ご入居者にはたいへん好評である。
個別対応力	同一建物内にクリニックモールやスーパーマーケット、飲食店があり、利便性は抜群。

※ 2023 年 4 月 1 日の重要事項説明書等によるデータ

有 SOMPOケア ラヴィーレ弁天町

🏠 全128室

大阪府大阪市港区市岡 1-2-24
☎ 06-6573-4165

【アクセス】JR 大阪環状線「弁天町」駅より徒歩 8 分、大阪メトロ中央線「弁天町」駅より徒歩 8 分
【運営会社】SOMPOケア株式会社
【利用料金】多様な料金制度のため詳細は同社 HP にてご確認ください。

2011 年 9 月開設。リハビリ強化型ホームとして、リハビリルームで機能訓練指導員（理学療法士）の個別リハビリを実施。日々の生活をリハビリという視点から支援。介護付有料老人ホームのため、日々の健康をしっかりと見守れるように、介護士、看護師、リハビリ職員や地域の医療機関とも連携。チームケアが自慢のホーム。医療的ケアも必要だが前向きに機能回復を望む要介護のご入居者にはお勧めのホーム。一昨年、昨年は☆を獲得し、今年は☆☆を獲得。

▼ ハード面の充実

居室の広さ	機能訓練室の有無	グループケアの実施	浴室環境の充実
○	◎		○

▼ ソフト面の充実

人員配置の充実	契約上、要介護者 2.5 名に対し 1 人の直接処遇職員を配置だが、実際はそれ以上の人員を配置。
介護福祉士率	介護福祉士取得率が 5 割以上と高め。スキルの高い職員が多い。
看取り能力の高さ	昨年は 16 名の看取りを実施。看取り能力は相当高い。
情報開示力の高さ	情報発信に力を入れておりホームのブログにて日常の様子を頻繁に更新。

▼ 相談員の評価

施設長の受け入れに対する積極性	施設長は困難事例であっても親身に相談に乗ってくれると定評がある。
認知症対応力が高い	運営会社は認知症ケアに力を入れており、認知症対応力は高い。
アクティビティ活動の充実	充実した屋上庭園で日光浴や散歩を楽しんだり、雨天でも広々とした館内で歩行訓練を行うことができ健康意識向上につながっている。

※ 2023 年 4 月 1 日の重要事項説明書等によるデータ

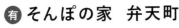 **そんぽの家　弁天町**

大阪府大阪市港区南市岡 2-5-9
☎ 06-6583-3401

 全30室

【アクセス】 JR 大阪環状線「弁天町」駅より徒歩 19 分
【運営会社】 ＳＯＭＰＯケア株式会社
【利用料金】 入居一時金なし、月額利用料 195,650 円

定員 30 名と小規模ながら、「ご入居者の喜ぶ顔が見たい！」との思いで働いているホスピタリティ自慢の職員が多く、契約以上の人員を配置しているため、きめ細やかなサービスが受けられると人気。また、同社で働く全国約 1 万 2000 人の介護士の中から選出された「介護プライドマイスター認定スタッフ」も在籍しており、オンラインでの体操や旅行、季節を感じるアクティビティは参加者も多く、要支援から看取りまで、安心した生活を送ることのできるホーム。

▼ ハード面の充実

居室の広さ	機能訓練室の有無	グループケアの実施	浴室環境の充実
◎			◎

▼ ソフト面の充実

人員配置の充実	契約上、要介護者 3 名に対し 1 人の直接処遇職員配置だが、実際はそれ以上の人員を配置。
介護福祉士率	介護福祉士率が 5 割以上。スキルの高い職員がそろう。
夜間職員の配置	夜間は 30 名に対し介護士 2 名配置。
看取り能力の高さ	昨年は 8 名の看取りを実施。看取り能力は高い。
情報開示力の高さ	ブログの更新頻度が高く、情報発信力は高い。

▼ 相談員の評価

職員の接遇態度の良さ	運営会社が職員教育に力を入れており接遇態度の良さは評判のホーム。
施設長の受け入れに対する積極性	困難事例でも親身に相談に乗ってくれる。
認知症対応力が高い	ホーム一丸となり、認知症の方や要介護度が高い方もご入居者の状態に応じた適切なケアを提供するよう工夫。
アクティビティ活動の充実	オンラインを利用したアクティビティなどを実施し、ご入居者のニーズに応えている。

※ 2022 年 10 月 1 日の重要事項説明書等によるデータ

大阪府

大阪市

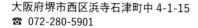

有 そんぽの家　堺浜寺

大阪府堺市西区浜寺石津町中 4-1-15
☎ 072-280-5901

全57室

【アクセス】南海本線「石津川」駅より徒歩 7 分、阪堺電鉄「石津」駅より徒歩 1 分
【運営会社】ＳＯＭＰＯケア株式会社
【利用料金】入居一時金なし、月額利用料 180,780 円

南海本線「石津川」駅から徒歩約 7 分、阪堺電鉄「石津」駅すぐと立地は申し分なし。チームで支える介護を目指しており、介護士や看護師、ケアマネジャー、連携医療施設と密に連絡を取りご入居者に寄り添った温かい介護を行っている。ICT の導入も積極的に行っており、ホームで使用するICT に関しては、使用方法等のレクチャーを受け、有効に活用している。また、地域交流も盛んに行っており、地域主導のイベントにも参加している。

▼ ハード面の充実

居室の広さ	機能訓練室の有無	グループケアの実施	浴室環境の充実
○			◎

▼ ソフト面の充実

職員定着率が高い	調査時の離職率は 15％以下と低く、職員定着率は高い。
介護福祉士率	介護士に占める介護福祉士取得率は約 70％を超えており、スキルと意欲の高い職員がそろう。
情報開示力の高さ	ホームのブログは頻繁に更新しており、情報発信に力を入れている。

▼ 相談員の評価

職員の接遇態度の良さ	運営会社が職員教育に力を入れていることもあり、接遇態度の良さは評判。
施設長の受け入れに対する積極性	介護士をはじめ、ケアマネジャー、看護師それぞれと協力し困難事例でも親身になって相談に乗ってくれる。
アクティビティ活動の充実	地域交流や季節を感じられる食事を通じたアクティビティはご入居者に評判。
個別対応力	医療機関や往診医と密に連携しご入居者一人一人に合ったサービスを提供している。

※ 2022 年 7 月 1 日の重要事項説明書等によるデータ

㈲ 花咲浜寺

大阪府堺市西区浜寺石津町中 1-1-1
☎ 072-280-0082

🏠 全52室

【アクセス】阪堺電気軌道阪堺線「石津北」駅より徒歩2分、南海本線「石津川」駅より徒歩10分
【運営会社】株式会社ライク
【利用料金】入居一時金なし、月額利用料163,950円～170,950円

南海本線「石津川」駅から徒歩10分の利便性の良いホーム。開設は2013年ながらも建物はしっかりと手入れされている。明るい雰囲気が人気。親会社が上場企業の（株）チャーム・ケア・コーポレーションであり、研修環境も整っているため、職員のスキルやケアの体制は高く評価されている。活気溢れるレクリエーションやボランティアの方々との催し物、ホームの厨房で調理される食事は評判も良く、看取り期まで安心して生活のできるホーム。

▼ ハード面の充実

居室の広さ	機能訓練室の有無	グループケアの実施	浴室環境の充実
○		○	◎

▼ ソフト面の充実

職員定着率が高い	アットホームな雰囲気。職員の定着率がとても高い。
介護福祉士率	介護福祉士が8割以上とスキルの高い職員が多い。
看取り能力の高さ	昨年は19名の看取りを実施。看取り能力は高い。
情報開示力の高さ	ホームの出来事を毎月ホームページで発信。運営会社が情報発信に力を入れているホーム。

▼ 相談員の評価

職員の接遇態度の良さ	運営会社が職員教育に力を入れていることもあり、接遇態度の良さは評判。

※ 2022年7月1日の重要事項説明書等によるデータ

有 シャローム晴れる家 大仙公園

全70室

大阪府堺市堺区大仙中町 7-12
☎ 072-245-8107

大阪府

堺市

【アクセス】JR 阪和線「百舌鳥」駅より徒歩 20 分
【運営会社】シャローム株式会社
【利用料金】入居一時金なし、月額利用料 238,900 円〜

大仙公園から徒歩1分の立地で2022年開設。運営会社のシャローム㈱は堺市内で地域包括ケア構想の理想形を実現している。医療とリハビリに特化したホームで、看護師は 24 時間常駐、理学療法士も常駐。医療依存度の高い方の入居も可能で、看取りまでしっかりサポート。ICT の導入にも積極的で、全館に Wi-Fi を設置しており、ベッドセンサーシステムも導入済み。屋上にはカフェスペースを設置。ご入居者だけでなく、ご家族と過ごすひと時にも利用可能。

▼ ハード面の充実

居室の広さ	機能訓練室の有無	グループケアの実施	浴室環境の充実
	◎	○	◎

▼ ソフト面の充実

医療対応力	24 時間看護師常駐。安心して過ごせる。
介護福祉士率	介護福祉士が 6 割以上。スキルの高い職員が多い。
看取り能力の高さ	昨年は 10 名の看取りを実施。看取り能力は高い。

▼ 相談員の評価

職員の接遇態度の良さ	運営会社が職員教育に力を入れていることもあり、接遇態度の良さは評判。
施設長の受け入れに対する積極性	医療依存度の高い方も含め困難事例に対しても積極的に受け入れ。
認知症対応力が高い	認知症の方であっても親身に相談に乗ってくれる。

※ 2023 年 7 月 1 日の重要事項説明書等によるデータ

有 グッドタイム リビング なかもず

全68室

大阪府堺市北区金岡町 1423-77
☎ 0120-135-166

【アクセス】南海高野線「白鷺」駅より徒歩 5 分、大阪メトロ御堂筋線「なかもず」
駅より徒歩約 10 分
【運営会社】グッドタイム リビング株式会社
【利用料金】多様な料金制度のため詳細は同社 HP にてご確認ください。

南海高野線「白鷺」駅より徒歩 5 分、大阪メトロ御堂筋線「なかもず」駅より徒歩約 10 分と 2 線利用可能な立地。2015 年に住宅型有料老人ホームとしてオープンしたが、2019 年 4 月に介護有料老人ホームに転換。その際に機能訓練室が新設された。また、同一建物内に診療所も併設しており、一人一人に寄り添いながら、プライバシーの尊重と心のケアを大切にした介護を実現。アクティビティも積極的に開催しており、ご入居者が毎回楽しみにされている。

▼ ハード面の充実

居室の広さ	機能訓練室の有無	グループケアの実施	浴室環境の充実
◎	◎	◎	◎

▼ ソフト面の充実

人員配置の充実	契約上、要介護者 3 名に対し 1 人の直接処遇職員を配置だが、実際はそれ以上の人員を配置。
介護福祉士率	介護士に占める介護福祉士取得率が高く、スキルの高い職員がそろう。
夜間職員の配置	夜間に介護士を 3 名配置。
看取り能力の高さ	昨年は 7 名の看取りを実施。看取り能力は高い。
情報開示力の高さ	ホームのブログは頻繁に更新しており、情報発信に力を入れている。

▼ 相談員の評価

職員の接遇態度の良さ	「オーダーメイドケア」を意識した接遇サービス・ケアでご入居者の暮らしを支える職員体制が整っている。
アクティビティ活動の充実	毎日 4 〜 5 つのプログラムを用意。レクリエーション活動に力を入れている。

※ 2022 年 7 月 1 日の重要事項説明書等によるデータ

(有) シャローム晴れる家 3号館

全60室

大阪府堺市北区東浅香山町 2-334
☎ 072-258-8080

【アクセス】JR 阪和線「浅香山」駅より徒歩 9 分、大阪メトロ御堂筋線「北花田」
　　　　　　駅より徒歩 10 分
【運営会社】シャローム株式会社
【利用料金】入居一時金なし、月額利用料 238,900 円〜

堺市で「地域包括ケア構想」を実現しているシャローム（株）が運営している。ホーム。2 線利用が可能で、近くには大型ショッピングモールもあり、利便性は抜群。看護師が 24 時間常駐しており、医療依存度の高い方も安心して過ごすことができる。また、希望される方は看取り時に同ホームから自宅に帰宅し、同社の訪問看護で自宅での看取りまでサポートしている。看護師・介護士が連携し、身体的にも精神的にも寄り添ったサービスの品質は近隣の病院などからも高く評価されている。

▼ ハード面の充実

居室の広さ	機能訓練室の有無	グループケアの実施	浴室環境の充実
	◎	○	○

▼ ソフト面の充実

人員配置の充実	住宅型有料老人ホームでありながら職員を平均以上に配置。
医療対応力	24 時間看護師常駐。
リハビリ専門職の配置	専門のリハビリ職員を配置。
夜間職員の配置	看護師含め 4 名の夜間体制。夜間も安心。
看取り能力の高さ	昨年は 14 名の看取りを実施。看取り能力は高い。

▼ 相談員の評価

職員の接遇態度の良さ	職員とご入居者が信頼関係をしっかりと構築。 その信頼関係が接遇の良さにつながる。

※ 2022 年 7 月 1 日の重要事項説明書等によるデータ

有 チャームスイート 京都桂坂

🏠 全64室

京都府京都市西京区大枝沓掛町 2-6
☎ 075-333-1575

【アクセス】阪急京都線「桂」駅よりバスで約 12 分、下車後徒歩 1 分
【運営会社】株式会社チャーム・ケア・コーポレーション
【利用料金】前払金 0 円～ 4,800,000 円、月額利用料 205,920 円～ 285,920 円

閑静な住宅街に位置し、介護施設には見えない高級感のある外観や内装に加え、明るく親切な施設長と礼儀正しい職員がご入居者に安心感と居心地の良さを提供。ご入居者はホームにあるピアノを演奏されたり、書道倶楽部や DVD 鑑賞会など楽しい時間を過ごされている。また、同社での研修や、安心できる協力医療機関との連携で、医療面での受け入れ体制が整えられていることもあり、安心して看取りまで過ごせる。

▼ ハード面の充実

居室の広さ	機能訓練室の有無	グループケアの実施	浴室環境の充実
◎		◎	◎

▼ ソフト面の充実

職員定着率が高い	運営会社が職員教育に力を入れており、職員定着率は高い。
看取り能力の高さ	昨年は 7 名の看取りを実施。看取り能力は高い。
情報開示力の高さ	ホームの出来事を毎月ホームページで発信。運営会社が情報発信に力を入れている。

▼ 相談員の評価

職員の接遇態度の良さ	職員とご入居者が信頼関係をしっかりと構築。その信頼関係が接遇の良さにつながる。
施設長の受け入れに対する積極性	医療依存度の高い方も含め困難事例に対しても積極的に受け入れ。
認知症対応力が高い	施設一丸となり、認知症の方であっても親身に相談に乗ってくれる。

※ 2022 年 7 月 1 日の重要事項説明書等によるデータ

京都府 京都市

㈲ ライフ・イン京都

京都府京都市西京区山田平尾町 46-2
☎ 075-381-1870

全308室

【アクセス】阪急京都線「桂」駅より専用シャトルバス約 15 分
【運営会社】社会福祉法人京都社会事業財団
【利用料金】多様な料金制度のため詳細は同社 HP にてご確認ください。

阪急京都線「桂」駅からホーム専用シャトルバスで 15 分の立地。アクティブシニアにとってはたいへん魅力のある立地だが、自立者向けのサービスだけでなく、介護サービスの品質の高さも評判のホーム。特に館内診療所および隣接総合病院と連携した看取りケアの評価が高い。併せて認知症ケアも評判。認知症に関する資格を有する専門職員を配置しているほか、館内診療所にも精神科ドクターを配置。認知症予防や認知症の方への丁寧な対応等が評価されている。

▼ ハード面の充実

居室の広さ	機能訓練室の有無	グループケアの実施	浴室環境の充実
◎	◎		◎

▼ ソフト面の充実

人員配置の充実	契約上、要介護者 2 名に対し 1 人の直接処遇職員配置だが、実際はそれ以上の人員を配置。
職員定着率が高い	昨年度の離職率は 10％以下と低い。職員の定着率が高く職場環境が整っている。
医療対応力	24 時間看護師常駐。協力医療機関の京都桂病院が隣接しており、医療体制は相当高い。
介護福祉士率	介護福祉士率が 8 割以上。介護職歴が 5 年以上の職員も多数。
夜間職員の配置	看護師含め 8 名以上配置。職員が充実で夜間でも安心。
看取り能力の高さ	職員が充実で夜間でも安心。24 時間看護師常駐体制と充実な職員により看取り能力は高い。

▼ 相談員の評価

職員の接遇態度の良さ	運営会社が職員教育に力を入れており接遇態度の良さは評価されている。介護経験が豊富な職員が多い施設。
施設長の受け入れに対する積極性	24 時間看護師体制と連携する協力医療体制により、医療依存度が高い方でも積極的に受け入れ可能。
認知症対応力が高い	介護の資格以外にも認知症に関する資格を有する専門職員を配置。また、ライフ・イン京都診療所の精神科ドクターの往診もあり介護・医療が連携して対応。
個別対応力	ご入居者の介護度によって 2 つの施設を利用可能。どのような方にも居場所がある、利用しやすい環境と手厚い医療・介護体制が整っている。

※ 2022 年 10 月 1 日の重要事項説明書等によるデータ

有 グッドタイム リビング 嵯峨広沢

🏠 全65室

京都府京都市右京区嵯峨広沢御所ノ内町 34-1
☎ 0120-135-166

【アクセス】JR 嵯峨野線「嵯峨嵐山」駅より徒歩約 10 分
【運営会社】グッドタイム リビング株式会社
【利用料金】多様な料金制度のため詳細は同社 HP にてご確認ください。

2016 年にグッドタイム リビング株式会社が初めて京都の地でオープンしたホーム。建物の中央には京都の趣を感じさせる中庭を配置、すべての居室から四季を感じることができる。近隣にはスーパー、コンビニ、ドラッグストアなどがあり、利便性も良い。ご入居者一人一人の要望に合わせた介護を実施し、提携医療機関による診療サービスも備えている。アクティビティやイベントにも力を入れており、さまざまなアクティビティが用意されている。

▼ ハード面の充実

居室の広さ	機能訓練室の有無	グループケアの実施	浴室環境の充実
◎		◎	

▼ ソフト面の充実

人員配置の充実	契約上、要介護者 2.5 名に対し 1 人の直接処遇職員配置だが、実際はそれ以上の人員を配置。
職員定着率が高い	運営会社が職員教育に力を入れており、職員定着率は高い。
看取り能力の高さ	昨年は 10 名の看取りを実施。看取り能力は高い。
情報開示力の高さ	施設のブログは頻繁に更新しており、情報発信に力を入れている。

▼ 相談員の評価

職員の接遇態度の良さ	「オーダーメイドケア」を意識した接遇サービス・ケアでご入居者の暮らしを支える職員体制が整っている。
施設長の受け入れに対する積極性	一人の大切なご入居者であることを常に意識し、困難事例に対しても積極的に受け入れ。
アクティビティ活動の充実	毎日 4～5 つのプログラムを実施。知的好奇心や教養を高める取り組みから趣味の集いまで幅広く対応。
個別対応力	一人一人の要望に合わせた介護を実施し、当たり前のことを当たり前にできる生活の支えを行う。

※ 2022 年 7 月 1 日の重要事項説明書等によるデータ

有 チャームスイート京都桂川

京都府京都市南区久世中久世町 1-66-1
☎ 075-935-7111

全64室

【アクセス】JR 京都線「桂川」駅より徒歩約 8 分
【運営会社】株式会社チャーム・ケア・コーポレーション
【利用料金】入居一時金 0 円〜 4,800,000 円、月額利用料 201,920 円〜 288,920 円

JR 京都線「桂川」駅から徒歩約 8 分。24 時間看護師が常駐しており、夜間帯においては看護師 1 名と各フロアに介護士が各 1 名以上配置されているため、安心・安全に過ごすことができる。イベントやレクリエーションも頻繁に実施している。ご入居者から寄せられた意見も参考にしており、その種類はさまざま。職員教育にもしっかりと力をいれており、定期的な研修も実施。質が高く安定したケアを提供している。

▼ ハード面の充実

居室の広さ	機能訓練室の有無	グループケアの実施	浴室環境の充実
○		○	◎

▼ ソフト面の充実

人員配置の充実	契約上、要介護者 3 名に対し 1 人の直接処遇職員配置だが、実際はそれ以上の人員を配置。
職員定着率が高い	運営法人は職員教育に力を入れており、職員の定着率は高い。
医療対応力	24 時間看護師常駐。
夜間職員の配置	夜間は 3 名以上の職員が常駐。
情報開示力の高さ	施設のブログを頻繁に更新しており、情報発信に力を入れている。

▼ 相談員の評価

職員の接遇態度の良さ	同社は接遇教育に力を入れており接遇態度の良さは評価されている。
施設長の受け入れに対する積極性	困難事例であっても丁寧に相談に応じてくれる。
認知症対応力が高い	日常の健康管理や健康相談、協力医療機関への連絡体制の充実により、ご入居者一人一人の状態を把握。

※ 2022 年 7 月 1 日の重要事項説明書等によるデータ

有 ニチイケアセンター天神川

★
★

京都府京都市右京区梅津南広町 93
☎ 075-863-5570

全52室

【アクセス】阪急京都線「西京極」駅より徒歩 15 分
【運営会社】株式会社ニチイ学館
【利用料金】入居一時金なし、月額利用料 187,900 円

観光地から少し離れた住宅街にあり、静かで穏やかな環境にあるホーム。医療の現場で培った経験豊富なベテラン看護師が多いため、さまざまな医療相談（バルーン、胃ろう、在宅酸素、インスリンの注射など）に対応可能。レクリエーションでは春に桜散歩、11 月のニチイ祭りなど毎月季節に沿ったイベントやクラブ活動を多数開催。生活にメリハリをつけている。落ち着いた雰囲気が好きな方にお勧めのホーム。

▼ ハード面の充実

居室の広さ	機能訓練室の有無	グループケアの実施	浴室環境の充実
○		○	◎

▼ ソフト面の充実

人員配置の充実	契約上、要介護者 2.5 名に対し 1 人の直接処遇職員配置だが、実際はそれ以上の人員を配置。
職員定着率が高い	運営会社全体が職員教育に力を入れており職員定着率の高さを実現。
介護福祉士率	介護士に占める介護福祉士取得率が高く、スキルの高い職員がそろう。
看取り能力の高さ	昨年は 9 名以上の看取りを実施。看取り能力は高い。

▼ 相談員の評価

職員の接遇態度の良さ	職員に対する接遇教育に力を入れている。接遇の良さは評判。
施設長の受け入れに対する積極性	困難事例であっても丁寧に相談に応じてくれる。
認知症対応力が高い	施設一丸となり、認知症の方であっても親身に相談に乗ってくれる。
アクティビティ活動の充実	毎日の暮らしにメリハリをつけ、生きがいと笑顔を保つため、1 年間を通してさまざまな企画やイベントを開催。

※ 2022 年 7 月 1 日の重要事項説明書等によるデータ

有 そんぽの家　太秦天神川

京都府京都市右京区太秦木ノ下町 16-9
☎ 075-863-5575

全40室

【アクセス】京福電鉄嵐山本線「嵐電太秦天神川」駅より徒歩 7 分、京都市営
　　　　　　地下鉄東西線「太秦天神川」駅より徒歩 8 分
【運営会社】ＳＯＭＰＯケア株式会社
【利用料金】入居一時金なし、月額利用料 213,750 円

静かな住宅地にあり、落ち着いて生活ができるホーム。日中には看護師が常駐しており、医療依存度の高い方でも安心して入居可能。一人一人のご入居者にあった、「カスタムメイドケア」を実施するために、しっかりと「これまで」のヒアリングを行い、「これから」をカスタマイズしていき QOL の維持・向上に努めている。夜間の人員配置も充実しており、緊急時にも安心。

▼ ハード面の充実

居室の広さ	機能訓練室の有無	グループケアの実施	浴室環境の充実
◎			◎

▼ ソフト面の充実

人員配置の充実	契約上はご入居者 3 名に対し 1 人の人員配置だが、実際はそれ以上の人員を配置。
介護福祉士率	介護福祉士率が 5 割以上。スキルの高い職員がそろう。
夜間職員の配置	夜間は 40 名に対し介護士 2 名配置。
看取り能力の高さ	昨年は 7 名の看取りを実施。看取り能力は高い。

▼ 相談員の評価

職員の接遇態度の良さ	運営会社が職員教育に力を入れており接遇の良さは評判のホーム。

※ 2022 年 7 月 1 日の重要事項説明書等によるデータ

⟨サ⟩ そんぽの家 S 西大路八条

京都府京都市南区吉祥院西ノ庄東屋敷町 16-1
☎ 075-325-5533　🏠 全125室

【アクセス】JR東海道線「西大路」駅より徒歩 10 分
【運営会社】ＳＯＭＰＯケア株式会社
【利用料金】入居一時金なし、月額利用料 144,870 円〜

「ここに入居して良かった」と思えるホーム。ご入居者がなぜ入居しないといけないのかを真摯に受け止め、全職員が情報を共有しご入居者に寄り添うように努めている。ホームにはシアタールームを完備しており、毎日違う映画が上映されているなどアクティビティ活動にはかなり力を入れている。施設内は四季を感じられるようにする等、ご入居者が毎日楽しく過ごせるような工夫がされている。

▼ ハード面の充実

居室の広さ	機能訓練室の有無	グループケアの実施	浴室環境の充実
◎			◎

▼ ソフト面の充実

職員定着率が高い	昨年の退職者はなし。高い定着率を誇る。
介護福祉士率	介護福祉士率が5割以上。スキルの高い職員が多い。
看取り能力の高さ	昨年は15名の看取りを実施。看取り能力は高い。
情報開示力の高さ	運営会社が情報発信に力を入れておりホームのブログにて日常の様子を頻繁に更新。

▼ 相談員の評価

施設長の受け入れに対する積極性	困難事例でも親身に相談に乗ってくれる。

※ 2022 年 7 月 1 日の重要事項説明書等によるデータ

㋚ ローズライフ京都

京都府京都市中京区壬生東高田町 1-23
☎ 075-323-0321

全89室

【アクセス】京都市バス「市立病院前」停留所下車徒歩約3分、阪急京都線・京福嵐山線「西院」駅・JR嵯峨野線「丹波口」駅よりそれぞれ徒歩約10分

【運営会社】ALSOK ライフサポート株式会社

【利用料金】〈前払いプラン／75歳以上の場合〉前払金 4,800,000 円〜7,800,000 円（非課税）、月額利用料 209,720 円（税込）※詳細は同社 HP を参照

手厚い人員配置、機能訓練指導員による個別リハビリ、ノーリフトケア（持ち上げない介護）導入による安心感の高いケア、充実のアクティビティが魅力のホーム。24 時間看護師常駐により医療依存度の高い方でも受け入れ可能。経験豊富でスキルの高い職員が多く、看取りまで安心して暮らすことができる。「認知症のあるご入居者に笑顔で過ごしていただきたい」という思いを職員全員で共有しており、そのためには「認知症のある方を『人』として尊重し、その人の立場に立って考える」というケアの基本を大切にしている。特に認知症ケアに重点を置いて、職員教育に力を入れている。

▼ ハード面の充実

居室の広さ	機能訓練室の有無	グループケアの実施	浴室環境の充実
◎		◎	◎

▼ ソフト面の充実

人員配置の充実	要介護者 1.3 名に対し 1 人の職員を配置。
医療対応力	24 時間看護師配置。
介護福祉士率	介護士に占める介護福祉士取得率が高く、スキルの高い職員がそろう。
夜間職員の配置	7 名の夜間職員を配置。夜間も十分安心。
看取り能力の高さ	昨年は 10 名の看取りを実施。看取り能力は高い。

▼ 相談員の評価

職員の接遇態度の良さ	運営会社が職員教育に力を入れており職員の接遇態度は良い。
施設長の受け入れに対する積極性	医療依存度の高い方も含め困難事例に対しても積極的に受け入れ。
認知症対応力が高い	施設一丸となり、認知症の方や要介護度が高い方もご入居者の状態に応じた適切なケアを提供するよう工夫。

※ 2022 年 7 月 1 日の重要事項説明書等によるデータ

サ メディカルグランメゾン 京都五条御前

全47室

京都府京都市下京区中堂寺庄ノ内町 46-7
☎ 075-279-6765

【アクセス】JR 山陰本線「丹波口」駅より徒歩 7 分、京都市営バス「市立病院前」停留所下車、徒歩 2 分
【運営会社】株式会社グランユニライフケアサービス
【利用料金】多様な料金制度のため詳細は同社 HP にてご確認ください。

最寄り駅から徒歩 7 分の立地にあり、ホーム近隣には総合病院や総合商業施設など生活には便利な環境。ホーム内は落ち着きのある内装を表現し、ご家族やご友人とゆっくりとした時間が過ごせる。広々とした木目を基調とした居室は、トイレ・エアコン・洗面台・キッチン・浴室・洗濯機置場などを完備し、愛用の家具を好きにレイアウトすることも可能。訪問介護・看護ステーションが併設されており、介護と看護の連携ですばやい対応が可能。安心して生活が送れる施設。

▼ ハード面の充実

居室の広さ	機能訓練室の有無	グループケアの実施	浴室環境の充実
◎			◎

▼ ソフト面の充実

医療対応力	24 時間看護師常駐。
介護福祉士率	介護士に占める介護福祉士取得率が高く、スキルの高い職員がそろう。
看取り能力の高さ	昨年は 13 名の看取りを実施。24 時間看護師常駐体制で看取り能力は高い。
情報開示の高さ	ホームの出来事を毎月ホームページで発信。運営会社が情報発信に力を入れているホーム。

▼ 相談員の評価

職員の接遇態度の良さ	運営会社が職員教育に力を入れていることもあり、接遇態度の良さは評判。
施設長の受け入れに対する積極性	施設長は困難事例であっても丁寧に相談に応じてくれる。
認知症対応力が高い	施設一丸となり、認知症の方であっても親身に相談に乗ってくれる。
アクティビティ活動の充実	週一回以上イベントを開催し、ご入居者同士がふれあいをもって楽しく過ごせるよう工夫されている。

※ 2022 年 11 月 1 日の重要事項説明書等によるデータ

㈲ トラストガーデン四条烏丸

京都府京都市下京区松原通新町東入中野之町173-1
☎ 075-352-0730

全54室

【アクセス】市営地下鉄烏丸線「四条」駅より徒歩約7分、「五条」駅より徒歩
　　　　　約6分、阪急京都本線「烏丸」駅より徒歩約9分
【運営会社】株式会社ハイメディック
【利用料金】入居一時金 14,400,000円〜 63,300,000円、月額利用料 316,910
　　　　　円〜 631,620円　※詳細は同社HPを参照

手厚い人員配置で、ご入居者それぞれに寄り添ったケアを実現している。地域の医療機関との連携と、24時間看護師配置によって看取りケアを充実（昨年は6名に看取りケアを提供）させており、機能訓練指導員（理学療法士）による個別リハビリが特徴でもある。親会社がリゾートトラスト社なので、エクシブ各施設と連携したアクティビティも好評のホーム。リゾートトラスト社直伝の接遇教育により、施設長以下職員のホスピタリティ溢れる接遇力も評判が高い。

※画像はイメージを含みます

▼ ハード面の充実

居室の広さ	機能訓練室の有無	グループケアの実施	浴室環境の充実
◎	◎		○

▼ ソフト面の充実

医療対応力	24時間看護師配置。
介護福祉士率	介護福祉士率が6割以上。スキルの高い職員が多い。
リハビリ専門職の配置	理学療法士を配置。willプログラムを実施している。
夜間職員の配置	夜間は最低3名の職員を配置。看護師も常駐で夜間も安心。
看取り能力の高さ	6名以上の看取りを実施。看取り能力は高い。
情報開示力の高さ	ブログの更新頻度が高く、情報発信を積極的に行っている。

▼ 相談員の評価

職員の接遇態度の良さ	運営会社が職員教育に力を入れており、接遇態度の良い施設。
施設長の受け入れに対する積極性	困難事例であっても前向きに相談に乗ってくれると定評がある。
アクティビティ活動の充実	多彩なアクティビティを実施。リハビリを兼ねたアクティビティも多数行っている。

※2022年11月1日の重要事項説明書等によるデータ

有 ヒルデモア東山

京都府京都市山科区日ノ岡夷谷町 21-15
☎ 075-762-2700

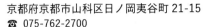

全23室

【アクセス】市営地下鉄東西線「蹴上」駅より徒歩約 15 分
【運営会社】東京海上日動ベターライフサービス株式会社
【利用料金】多様な料金制度のため詳細は同社 HP にてご確認ください。

高級感溢れる共用施設と居室が、最大の特長。建物全体は和の空間を意識しながらも、ラウンジには旧帝国ホテルにも用いられた大谷石をあしらい、モダンな雰囲気が漂う。季節折々の美しさを見せる日本庭園は、京の街並みが一望できる高台の立地と相まって、日々の生活に潤いを与える。各居室も広々として、終の棲家としての居心地の良さを感じられるスペースになっている。職員配置は手厚く、24 時間の看護師配置も。「認知症が進んでも医療依存度が高くなっても、終の棲家としてご自宅としての暮らしを継続してもらいたい」という運営理念を全職員が理解して、看取りケアに力を入れている。

▼ ハード面の充実

居室の広さ	機能訓練室の有無	グループケアの実施	浴室環境の充実
◎	◎		◎

▼ ソフト面の充実

人員配置の充実	要支援・要介護者 1.5 名に対し、週 40 時間勤務を 1 人と換算した介護士・看護師 1 人以上と手厚い介護。
医療対応力	24 時間看護師配置。
介護福祉士率	介護福祉士率が 9 割以上。スキルの高い職員が多い。
夜間職員の配置	夜間は介護士・看護師が 1 名ずつ勤務。

▼ 相談員の評価

職員の接遇態度の良さ	法人全体が職員教育に力を入れており職員の接遇態度は良い。
施設長の受け入れに対する積極性	困難事例でも親身になって相談に乗ってくれる。
アクティビティ活動の充実	本格的なアクティビティを多数実施。
個別対応力	コンタクトパーソンがご入居者のニーズを汲み取り、職員・ご家族に共有。

※ 2022 年 7 月 1 日の重要事項説明書等によるデータ

有 ローズライフ高の原

京都府木津川市相楽台 9-1-5
☎ 0774-75-2001

全107室

【アクセス】近鉄京都線「高の原」駅より徒歩約3分
【運営会社】ALSOK ライフサポート株式会社
【利用料金】入居一時金 32,800,000円〜73,400,000円、月額利用料 187,110円〜323,290円

駅からも近く、京都・奈良・飛鳥に足を延ばせる立地はアクティブシニアにはもってこい。39〜89㎡の自立者向け居室（アクティブコート）は全91室。数多く用意された自立者向けのフィットネスプログラムは介護予防に最適。共用施設も充実しており、館内での居住性も抜群。介護棟で提供される介護サービスも品質が高い。

▼ ハード面の充実

居室の広さ	機能訓練室の有無	グループケアの実施	浴室環境の充実
○	◎	○	◎

▼ ソフト面の充実

人員配置の充実	契約上、要介護者1.5名に対し1名の直接処遇職員配置だが、実際はそれ以上の人員を配置。
職員定着率が高い	昨年度の離職率は10％以下と低い。職員の定着率が高い。
医療対応力	24時間看護師常駐。嘱託医との連携により、最期まで安心して生活できる環境を提供。
介護福祉士率	介護士に占める介護福祉士取得率が高く、スキルの高い職員がそろう。
看取り能力の高さ	昨年は14名の看取りを実施。24時間看護師常駐体制と手厚い職員配置により看取り能力は高い。

▼ 相談員の評価

職員の接遇態度の良さ	【安全】【安心】【快適】な暮らしをしていただけるように接遇教育に力を入れている。
施設長の受け入れに対する積極性	困難事例でも親身になって相談に乗ってくれる。
認知症対応力が高い	グループで過ごせる居室空間を用意。認知症の方も精神的に安定し、落ち着いた暮らしを提供。また、サポートセンターで認知症に応じたケアを受けることが可能。
アクティビティ活動の充実	趣味、サークル活動、年中行事、コンサートなど1年を通じ多様なイベントを実施。また、各フロアのダイニングでは「日替わりのアクティビティ」を開催。ご入居者や職員が、気心の知れた人々と笑い合い、楽しく過ごせる環境を提供。
個別対応力	月曜日から金曜日までフィットネス担当のトレーナーが毎日複数のプログラムを実施。また、体力測定を年に2回実施、フィットネスに参加した方の体力特性を把握して新しい運動メニューを作成。

※ 2023年5月24日の重要事項説明書等によるデータ

有 サンシティ木津

京都府木津川市市坂六本木 76
☎ 0774-73-8811

🏠 全122室

【アクセス】近鉄京都線「高の原」駅よりバス乗車 7 分、徒歩 3 分
【運営会社】株式会社ハーフ・センチュリー・モア
【利用料金】多様な料金制度のため詳細は同社 HP にてご確認ください。

自立入居対応居室が多い（株）ハーフ・センチュリー・モアの介護専用ホーム。同社は接遇力の高さとホスピタリティ精神の高いサービスで有名。手厚い人員配置、24時間看護師配置、機能訓練指導員（理学療法士 3 名、作業療法士 1 名）による個別リハビリも充実している。介護士も 7 割が介護福祉士取得者で、職員のスキルは高い。専属シェフがつくる要介護者向けの食事も好評。日々の心の糧となるレクリエーションも充実。近隣の名所の散策から、四季折々のイベント、著名演奏家のコンサートなど、毎日数種類のプログラムを用意している。レクリエーション専門職員による、個別のレクリエーションの提供もある。

▼ ハード面の充実

居室の広さ	機能訓練室の有無	グループケアの実施	浴室環境の充実
◎	◎	◎	◎

▼ ソフト面の充実

人員配置の充実	契約上、要介護者 3 名に対し 2 人の直接処遇職員配置だが、実際はそれ以上の人員を配置。
職員定着率が高い	離職率は 10% 以下と低く、職員定着率が高い。
医療対応力	24 時間看護師配置。
介護福祉士率	介護福祉士率が 7 割以上。スキルの高い職員が多い。
リハビリ専門職の配置	理学療法士 3 名、作業療法士 1 名を配置。
看取り能力の高さ	15 名以上の看取りを実施。看取り能力は高い。

▼ 相談員の評価

職員の接遇態度の良さ	運営会社が職員教育に力を入れており、接遇態度の良い施設。
施設長の受け入れに対する積極性	困難事例であっても前向きに相談に乗ってくれると定評がある。
アクティビティ活動の充実	四季折々のイベントやコンサートなど、毎日数種類のアクティビティを実施。
個別対応力	ケアニーズに合わせた居室や、お好きな時にお好きな場所で過ごせるホーム。ご自宅のように過ごせる。

※ 2023 年 5 月 23 日の重要事項説明書等によるデータ

有 Charm（チャーム）やまとこおりやま

 全69室

奈良県大和郡山市本庄町 307-1、308-1
☎ 0743-59-5701

【アクセス】近鉄橿原線「近鉄郡山」駅より徒歩約 20 分、JR 関西本線「郡山」駅より徒歩約 20 分
【運営会社】株式会社チャーム・ケア・コーポレーション
【利用料金】前払金 0 円〜 720,000 円、月額利用料 175,160 円〜 187,160 円

「金魚の町」として知られる奈良県大和郡山市に位置し、協力医療機関が道を挟んだ向かい側にあるため、医療面についても安心した生活を送ることができる。屋上庭園からは市内が一望でき、四季折々の花や野菜の収穫と、のんびりとした時間を過ごせる。また、同法人では、充実した研修制度を導入しており職員のスキルも高く、ICT の導入による介護記録の簡略化により、ご入居者と関わる時間をより多くとっている。常に入居で埋まっている人気のホーム。

▼ ハード面の充実

居室の広さ	機能訓練室の有無	グループケアの実施	浴室環境の充実
		○	◎

▼ ソフト面の充実

職員定着率が高い	運営会社が職員教育に力をいれており、職員定着率は高い。
看取り能力の高さ	昨年は 9 名の看取りを実施。看取り能力は高い。
情報開示力の高さ	ホームの出来事を毎月ホームページで発信。運営会社が情報発信に力を入れているホーム。

▼ 相談員の評価

施設長の受け入れに対する積極性	施設長は困難事例であっても丁寧に相談に応じてくれる。
個別対応力	ご入居者やご家族からの要望にもしっかりと対応し、入居待ち状態が続く評判のホーム。

※ 2022 年 7 月 1 日の重要事項説明書等によるデータ

有 エスティームライフ学園前

奈良県奈良市大倭町 1-35
☎ 0742-47-4165

全76室

【アクセス】近鉄奈良線「学園前」駅より奈良交通若草台・赤膚山行き「奈良
　　　　　国際ゴルフ場前」停留所下車徒歩約 1 分
【運営会社】株式会社アクティブライフ
【利用料金】入居一時金なし、月額利用料 579,874 円

少人数で生活をするグループホーム形式を活用。職員がグループごとの担当を持ち、介護をしていく中で毎日同じ顔に会える安心感を生み、きめ細かなケアを提供。協力医療機関である「西奈良中央病院」との連携や、24 時間体制の看護師配置により、医療依存度の高い方の受け入れが可能。また、職員の教育にも力を入れており、会社全体とホーム独自の研修を行っている。ホーム研修では月に一度勉強会を開催し、日々介護技術の向上を図っている。レクリエーションも盛んで、年間 60 回近くコンサートや季節行事のイベントを実施。生活のメリハリがしっかりとしているホーム。

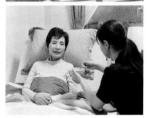

▼ ハード面の充実

居室の広さ	機能訓練室の有無	グループケアの実施	浴室環境の充実
○	◎	◎	◎

▼ ソフト面の充実

人員配置の充実	契約上、要介護者 1.5 名に対し 1 人の直接処遇職員配置だが、実際はそれ以上の人員を配置。
職員定着率が高い	運営会社全体が職員教育に力を入れており職員定着率の高さを実現。
医療対応力	24 時間看護師常駐。
夜間職員の配置	看護師含め 5 名常駐。夜間も十分安心。
看取り能力の高さ	昨年は 11 名の看取りを実施。看取り能力は高い。

▼ 相談員の評価

職員の接遇態度の良さ	職員の教育に力を入れており、職員の接遇態度の良さは評判。
アクティビティ活動の充実	健康体操や毎日のレクリエーションがあり、アクティビティが充実。花見、美術館など外出を含め年間 60 回近いコンサートや季節行事のイベントを実施。
個別対応力	6 〜 8 名で 1 グループを編成し、グループごとに生活を過ごす中で毎日同じ顔に会える安心感を育み、きめ細かいケアの対応ができる体制。

※ 2023 年 1 月 1 日の重要事項説明書等によるデータ

かおりの里

滋賀県大津市伊香立向在地町 250
☎ 077-598-2790

🏥 全25室

【アクセス】 湖西線「堅田」駅より江若バス葛川・伊香立方面行き「伊香立診療所前」停留所下車、自動車湖西道路真野インターより西へ5分
【運営会社】 株式会社ビケンテクノ
【利用料金】 入居一時金なし、月額利用料 193,055 円〜 237,893 円

医療法人や介護施設を運営し、その他にも多種多様な事業を展開している（株）ビケンテクノが運営しているホーム。グループのひかり病院と連携し週1回の訪問診療を実施。その他にも月2回の循環器医師、月3回の歯科医師の訪問により、診察・治療を行っている。また、日中は看護師が常駐しており、安心して過ごすことができる。レクリエーションも行われており、季節に合ったイベントやお誕生日会などが開催されている。

▼ ハード面の充実

居室の広さ	機能訓練室の有無	グループケアの実施	浴室環境の充実
○	◎	◎	◎

▼ ソフト面の充実

人員配置の充実	契約上、要介護者2名に対し1人の直接処遇職員配置だが、実際はそれ以上の人員を配置。
職員定着率が高い	昨年は職員離職率が0と定着率が非常に高い。
医療対応力	24時間看護師常駐。
介護福祉士率	介護士に占める介護福祉士取得率が高く、スキルの高い職員がそろう。
看取り能力の高さ	昨年は7名以上の看取りを実施。看取り能力は高い。

▼ 相談員の評価

職員の接遇態度の良さ	介護経験が10年以上のスタッフが7割近くおり、スキルの高さでご入居者の要望に迅速に対応する体制の実現につながっている。
施設長の受け入れに対する積極性	職員がプロフェッショナルとして仕事に対し向上心を持ち常に努力と工夫をすることで、ご入居者が笑顔で心地よく生活できるよう真摯に向き合う。
アクティビティ活動の充実	外出で四季の変化を感じたり、動物とふれあうドッグセラピーなどの豊富な内容で、毎日を自然に楽しく過ごせる工夫をしている。

※ 2022年7月1日の重要事項説明書等によるデータ

㈲ ハーネスト唐崎

滋賀県大津市坂本 1-13-12
☎ 077-526-7077

 全50室

【アクセス】JR 湖西線「唐崎」駅より徒歩 20 分、京阪電車石坂線「穴太」駅より徒歩 5 分
【運営会社】医療法人社団あかつき会
【利用料金】入居一時金 3,300,000 円〜 3,900,000 円、月額利用料 190,076 円

医療法人社団が母体のホーム。系列のクリニックとの連携による、看取りまでのサポートや医療依存度の高い方の受け入れが可能なことが特長。日中は看護師が常駐しており夜間も 1 名もしくはオンコールで対応。提携クリニックとの連携で看取り時の急変にも対応している。介護士も手厚く配置することにより、余裕を持った介護を行うことが可能になっている。レクリエーションも特徴の一つで、毎日実施している。レクリエーションを通してご入居者の体調なども確認でき、その情報を共有することにより、良い介護を提供している。

▼ ハード面の充実

居室の広さ	機能訓練室の有無	グループケアの実施	浴室環境の充実
○		◎	◎

▼ ソフト面の充実

人員配置の充実	住宅型有料老人ホームでありながら、要介護者 1.7 名に対し常勤職員 1 人配置と手厚い人員配置。
介護福祉士率	介護福祉士率が 7 割近くあり、スキルの高い職員が多い。
看取り能力の高さ	昨年は 8 名の看取りを実施。看取り能力は高い。

▼ 相談員の評価

職員の接遇態度の良さ	運営会社が職員教育に力を入れていることもあり、接遇態度の良さは評判。
施設長の受け入れに対する積極性	施設長は困難事例であっても丁寧に相談に応じてくれる。
アクティビティ活動の充実	季節感溢れるイベントを数多く開催。同年代の仲間と昔話を楽しめ、文化的で充実した時間が過ごせる。
個別対応力	医療機関と複数連携しており要介護度や性格、生活ペースに合わせてご入居者の最適なプラン作成。

※ 2022 年 7 月 1 日の重要事項説明書等によるデータ

有 アクティバ琵琶

滋賀県大津市雄琴 6-17-17
☎ 077-578-0300

全384室

【アクセス】JR 湖西線「おごと温泉」駅より徒歩 13 分
【運営会社】株式会社ハイメディック
【利用料金】入居一時金 7,230,000 円～ 145,650,000 円、月額利用料 192,475 円～
　　　　　　458,500 円　※詳細は同社 HP を参照

JR「おごと温泉」駅から徒歩約 13 分、同駅から約 20 分で JR 京都駅。
琵琶湖畔に立地。古都京都、近江が近く、歴史好きなアクティブシニア
にぴったりのホーム。万一介護が必要になっても、「レジデンス(自立棟)」
から敷地内に併設する「ケアレジデンス（介護棟）」へ移り住みが可能。
お元気な方から要介護の方まで、機能訓練指導員（理学療法士 4 名、言
語聴覚士 1 名、柔道整復師 1 名）による予防介護、個別リハビリが充実
している。手厚い人員配置で、介護サービスの水準も高い。

※画像はイメージを含みます

▼ ハード面の充実

居室の広さ	機能訓練室の有無	グループケアの実施	浴室環境の充実
◎	◎	○	◎

▼ ソフト面の充実

職員定着率が高い	離職率は 15％以下と低く、職員定着率が高い。
医療対応力	24 時間看護師配置。
リハビリ専門職の配置	理学療法士 4 名、言語聴覚士 1 名、柔道整復師 1 名を配置。リハビリにも力を入れている。
夜間職員の配置	夜間は看護師 2 名が勤務。夜間何かあった際も安心して過ごせる。
看取り能力の高さ	30 名以上の看取りを実施。看取り能力は高い。
情報開示力の高さ	ブログの更新頻度が高く、情報発信を積極的に行っている。

▼ 相談員の評価

職員の接遇態度の良さ	運営会社のノウハウを活かしたホスピタリティで専任のコンシェルジュを配置するなど、ご入居者が快適に過ごせるよう工夫。
施設長の受け入れに対する積極性	困難事例であっても積極的に受け入れを行う。
認知症対応力が高い	場合によっては重度の認知症も受け入れ可能。認知症対応力が高い。
個別対応力	医療面で不安がある方も広く受け入れている。

※ 2022 年 7 月 1 日の重要事項説明書等によるデータ

有 シニアホーム勢多夕照苑

滋賀県大津市唐橋町 23-1
☎ 077-537-1782

全39室

【アクセス】JR 東海道線「石山」駅より徒歩 15 分、京阪電車「唐橋前」駅より
　　　　　　徒歩 3 分
【運営会社】株式会社あみ定
【利用料金】入居一時金 4,300,000 円〜 4,900,000 円、
　　　　　　月額利用料 268,250 円〜 271,250 円

日本三名橋の一つ「瀬田の唐橋」の袂
にあり、木の温もりを取り入れた居室
で、ゆったりと生活をしていただける
ホーム。ホームではリハビリに力を入
れており、パワーリハビリテーション
を実施。3 種類のトレーニングマシン
と 2 台のサイクルマシンを使用し、立
つ、歩く、座るなどの機能回復を目的
としたリハビリを実施している。また、
食事にもこだわっている。事業主体「あ
み定」は老舗の料亭。季節の素材を取
り入れた給食や月に 2 回の特別献立を
提供。食べることの楽しさと豊かさを
大切にしている。

▼ ハード面の充実

居室の広さ	機能訓練室の有無	グループケアの実施	浴室環境の充実
◎	◎		◎

▼ ソフト面の充実

人員配置の充実	契約上、要介護者 2 名に対し 1 人の直接処遇職員配置だが、実際はそれ以上の人員を配置。
職員定着率が高い	運営法人は職員教育に力を入れており、職員の定着率は高い。
介護福祉士率	介護福祉士率が 7 割以上。スキルの高い職員が多い。
夜間職員の配置	ご入居者に対し十分な夜間人員体制を整えている。

▼ 相談員の評価

職員の接遇態度の良さ	毎月学習会を実施するなど、職員教育に注力しており、接遇態度は評価が高い。
施設長の受け入れに対する積極性	困難事例であっても、真摯に相談に乗ってくれる。
アクティビティ活動の充実	月に一度ホーム全体での行事を開催。お花見や正月には神社に初詣にお参りに行くなど、季節に合わせた行事も実施。また、地域のボランティアサークルの方々との交流もありアクティビティに力を入れている。

※ 2022 年 7 月 1 日の重要事項説明書等によるデータ

やすらぎの介護

シャローム

お元気な時からいつまでも、
住み慣れた家で、安心の老後をお支えいたします。

シャロームは、大阪府堺市を中心に
介護事業を始めて23年の地域密着の会社です。
ご利用者様に寄り添うケアを大切にしています。

老人ホーム　晴れる家シリーズ

晴れる家1号館 土塔町

晴れる家2号館 平井

晴れる家3号館 東浅香山

晴れる家4号館 今池町

晴れる家5号館 上野芝向ケ丘町

晴れる家 大仙公園 大仙中町

在宅サービス

●訪問看護　●訪問リハビリ　●訪問介護
●ケアプランの作成　●福祉用具

障がいサービス

●相談支援業務　●就労移行支援
●就労継続支援B型

晴れる家の生涯安心サポート！

医療が必要になっても安心

看護師が 24 時間 365 日対応する
ナーシングホームへの転居が可能です。

健康にこだわったお食事

管理栄養士と連携し、心臓病食、透析食など
70 のバリエーションがあり、
おいしく召し上がっていただけます。

豊富な季節ごとのイベント

春の花見、秋のもみじ狩りなど
季節を感じる外出イベントも多数。
特別な食事やおやつもあります。

チャプレンの配置

ご入居者様の閉じこもりの予防や、
心のケアを行い、穏やかに暮らせるよう
働きかけいたします。

シャローム株式会社

大阪府堺市堺区大仙中町6-24　　📞0120-998-414

受付時間 9：00〜17：00（月〜金曜、日曜日・祝日も対応）

諸事情により個別取材をご遠慮されたホーム

運営会社	星数	施設名・エリア
パナソニック ホームズ株式会社	★	ケアビレッジ千里・古江台（大阪府）
株式会社ニチイケアパレス	★	D-Festa くずは（大阪府）
株式会社フルライフケア	★	フィオレ・シニアレジデンス 茨木（大阪府）
司興産株式会社	★	エトナ大川端（大阪府）
株式会社神戸健康管理センター	★★	エリーネス須磨 介護の家（兵庫県）
医療法人社団豊明会	★★	サニーガーデン伊丹（兵庫県）
株式会社あぷり	★★	あぷり志紀（大阪府）
社会福祉法人福生会	★★	フロイデンハイム（大阪府）
トータルケアライフ株式会社	★★	コンソルテ瀬田（滋賀県）
社会福祉法人大五京	★★	シルバーホーム衣笠（京都府）
有限会社ティエラ	★★	ことこと久宝寺（大阪府）
	★★	はーとらいふ若江南（大阪府）
ファミリー・ホスピス株式会社	★★	ファミリー・ホスピス京都北山ハウス（京都府）
有限会社はなまる	★★	頂（大阪府）
	★	はなまる 香里園（大阪府）
株式会社M.Y.Y	★	MYYケアリング茨木（大阪府）
株式会社エイジケア	★	エイジ・ガーデン渚（大阪府）
株式会社アットホーム	★	高槻ナーシングホームさくら（大阪府）
株式会社メディカル・サプライ	★	クルーヴ豊中・服部（大阪府）
ななゆめ株式会社	★	ななゆめホーム門真浜町（大阪府）
医療法人 愛間会	★	潤いの杜 さかい（大阪府）
株式会社 京阪介護	★	シルバーライフ大久保（大阪府）
株式会社ベストライフ	★	ベストライフ京都桃山（京都府）
	★	ベストライフ交野（大阪府）
株式会社はーとふるセゾン	★	カルデアの家 寝屋川（大阪府）
けいはん医療生活協同組合	★	みいの郷（大阪府）
株式会社エイジング・イン・プレイス	★	アットホームこころ（大阪府）
株式会社ティック	★	そうごうケアホーム寝屋川池田（大阪府）
社会福祉法人千種会	★	Les 芦屋（兵庫県）
ヘルスケアリンク株式会社	★	さくら昇草庵（大阪府）

株式会社ベネッセスタイルケア	★★	メディカル・リハビリホームグランダ香櫨園（兵庫県）
	★★	メディカル・リハビリホームくらら吹田（大阪府）
	★★	メディカル・リハビリホームくらら桃山台（大阪府）
	★★	メディカル・リハビリホームくらら豊中（大阪府）
	★★	メディカルホームグランダ苦楽園（兵庫県）
	★★	メディカルホームまどか天王寺（大阪府）
	★★	メディカル・リハビリホームくらら箕面小野原（大阪府）
	★★	アリア嵯峨嵐山（京都府）
	★★	メディカルホームグランダ香里園（大阪府）
	★	メディカル・リハビリホームグランダ箕面（大阪府）
	★	メディカルホームまどか住吉大社東（大阪府）
	★	まどか茨木（大阪府）
	★	まどか武庫川（兵庫県）
	★	グランダ豊中（大阪府）
	★	メディカルホームまどか鶴見徳庵（大阪府）
	★	リハビリホームくらら芦屋（兵庫県）
	★	メディカルホームくらら甲子園（兵庫県）
	★	メディカルホームまどか中百舌鳥（大阪府）
	★	メディカル・リハビリホームグランダ岡本（兵庫県）
	★	メディカルホームボンセジュール茨木万博公園（大阪府）
株式会社スーパー・コート	★★	スーパー・コート プレミアム宇治（京都府）
	★★	スーパー・コート豊中桃山台（大阪府）
	★★	スーパー・コート茨木さくら通り（大阪府）
	★	スーパー・コート京・六地蔵（京都府）
	★	スーパー・コート千里中央（大阪府）
	★	スーパー・コート京・四条大宮（京都府）
	★	スーパー・コート大東（大阪府）
	★	スーパー・コート堺神石（大阪府）
	★	スーパー・コート東大阪新石切（大阪府）
	★	スーパー・コート堺白鷺（大阪府）
	★	スーパー・コート箕面小野原（大阪府）
ＡＬＳＯＫジョイライフ株式会社	★	ベルパージュ大阪上本町（大阪府）
	★	ベルパージュ大阪帝塚山（大阪府）
	★	ユトリーム箕面桜ヶ丘（大阪府）

※本書は、快く取材対応いただいた施設（計146ホーム）に、諸事情により個別取材をご遠慮された施設（計64ホーム）を含め、星を獲得した全210ホームをご紹介しております。

ホーム選びのための **チェックリスト**

数ある魅力的な施設のなかから一つを選び抜くためには、入居前のリサーチが欠かせません。施設訪問の際にチェックすべきポイントをまとめたので、施設選びに活用してください。

◎施設訪問 **前** にチェック

チェック項目	✓欄
1 入居対象者のひと月の収入が分かっているか（年金やその他事業など）	
2 まとまったお金の用意ができているか（入居一時金や敷金のため）	
3 提携の医療機関に、自分が通院している病院または持病に対応してくれる病院があるか	
4 自分または家族の要支援・要介護度を理解しているか	
5 入居希望施設の入居の条件（要介護度や年齢など）に含まれるか	

◎施設訪問 **時** にチェック

チェック項目	✓欄
1 重要事項説明書をもらえるかどうか	
2 入居一時金、敷金、入居費用はいくらかかるか	
3 介護費用等すべて合算した月額利用料はいくらか	
4 退去条件の確認（看取りまでみてもらえるかどうか）	
5 退去時はどういった費用がかかるか	
6 救急搬送時や入院時など、入居後の緊急時に家族がとるべき対応が確認できているか	
7 外出等ができるかどうか	
8 看護師、介護士は複数常駐しているか	
9 どのような医療機関と提携しているか	
10 個別でリハビリ対応ができる環境があるか	
11 アレルギーや介護食、治療食への対応はどうなっているか	
12 どのようなアクティビティ・イベントがあるか	
13 ほかのご入居者との共同生活に不安を感じそうにないか	
14 施設の雰囲気（施設長やスタッフの態度、挨拶）はどうか	
15 ご入居者の生活環境（服装や行動、一日の流れなど）	

MEMO

● 要介護度 _____

● 生年月日 _____ 年 _____ 月 _____ 日

● 年齢 _____

● 毎月出せるお金 _____ 円

● 一時金として準備できるお金 _____ 円

● 持病

● 入居に必要な条件

● 見学中に気づいたこと

● その他

ホーム選びの チェックシート

右にある二次元バーコードから介護の三ツ星
コンシェルジュ HP にアクセスしてチェック
シートをダウンロードし、ぜひご活用ください。

介護の三ツ星コンシェルジュ編集部
（荒牧誠也、中川友貴、伊村日菜、伊藤貴大）

シニア世代やその家族が、幸せな人生を過ごせることを目的に、株式会社ベイシスの事業部として発足した。老人ホーム・介護施設の検索総合情報サイト「介護の三ツ星コンシェルジュ」を運営。「一般社団法人 日本シニア住宅相談員協会」と共同で、関西の主要地域の有料老人ホームを独自基準で調査している。

株式会社ベイシス

事業用不動産のデベロッパーとして、用地の取得から企画、設計、売却後の運営管理までの事業を一気通貫して行っている。シニア向け事業も展開している。

【取材協力】
一般社団法人 日本シニア住宅相談員協会
代表理事　岡本弘子

2015年1月に入居相談業有志によって設立。
利用者本位を基本理念に、優良な入居相談員の育成と入居相談業の適正な発展に向けて活動している。シニア住宅相談員認定研修【ベーシックコース】を年4回開催し、修了者をシニア住宅相談員として資格認定。さらにシニア住宅相談員を配置する等協会が定めた要件を満たした入居相談事業所を、あんしん相談窓口として事業所認定を行っている。
上級者向けのシニア住宅相談員認定研修【アドバンスコース】や、高齢者住宅関連事業者等の交流勉強会も定期的に開催し、知識の研鑽や情報交換の場づくりにも努めている。

本書についての
ご意見・ご感想はコチラ

2,572施設を調査した介護業界のプロが厳選

別冊「有料老人ホーム三ツ星ガイド2023年度版」
関西210選

2023年12月11日　第1刷発行

著　者　　　介護の三ツ星コンシェルジュ編集部
発行人　　　久保田貴幸

発行元　　　株式会社 幻冬舎メディアコンサルティング
　　　　　　〒151-0051　東京都渋谷区千駄ヶ谷4-9-7
　　　　　　電話　03-5411-6440（編集）

発売元　　　株式会社 幻冬舎
　　　　　　〒151-0051　東京都渋谷区千駄ヶ谷4-9-7
　　　　　　電話　03-5411-6222（営業）

印刷・製本　瞬報社写真印刷株式会社

装　丁　　　株式会社 幻冬舎メディアコンサルティング